W9-CRT-940

AGENCE TAC
À LA RESCOUSSE DE WI-FIDO

ENQUÊTES

Catalogage avant publication de Bibliothèque et Archives
nationales du Québec et Bibliothèque et Archives Canada

Titre : Agence TAC : à la rescousse de Wi-Fido / Émilie Rivard, auteure ;
Sabrina Gendron, illustratrice.

Noms : Rivard, Émilie, 1982- auteur. | Gendron, Sabrina, 1984- illustrateur.

Collections : Slalom.

Description : Mention de collection : Slalom

Identifiants : Canadiana 20190037040 | ISBN 9782897093983

Classification : LCC PS8635.I83 A62 2020 | CDD jC843/.6—dc23

© 2020 Boomerang éditeur jeunesse inc.
Tous droits réservés. Aucune partie de ce livre ne peut être
copiée ou reproduite sous quelque forme que ce soit sans la
permission écrite de Copibec.

Auteure : **Émilie Rivard**
Illustratrice : **Sabrina Gendron**
Graphisme : **Julie Deschênes et Mika**

Dépôt légal – Bibliothèque et Archives nationales du Québec,
1er trimestre 2020

ISBN 978-2-89709-398-3

Gouvernement du Québec – Programme de crédit d'impôt
pour l'édition de livres – Gestion SODEC

Boomerang éditeur jeunesse remercie la SODEC pour l'aide
accordée à son programme éditorial.

Imprimé au Canada

Financé par le
gouvernement
du Canada

Canadä

ASSOCIATION
NATIONALE
DES ÉDITEURS
DE LIVRES

FSC
www.fsc.org

MIXTE
Papier issu de
sources responsables
FSC® C103567

Aux élèves et à toute l'équipe
de l'inspirante école Saint-Claude.
J'ai passé avec vous d'aussi bons moments
que si une agence s'y était bel et bien cachée!

AGENCE TAC

À LA RESCOUSSE DE WI-FIDO

ÉMILIE RIVARD

L'INCONNU
DANS LE TIROIR

Je mets la touche finale à mon travail d'art. J'aurais aimé que ça ait l'air d'un dragon qui crache du feu. Ça ressemble plutôt à une **SAUTERELLE HIDEUSE** qui s'est mis le nez trop près d'un dégât de jus d'orange. Je dois me rendre à l'évidence : je manie le pastel sec avec l'aisance d'un enfant de quatre ans **pilotant un hélicoptère**. Soudain, une voix à l'interphone interrompt mon geste.

— Madame Jacinthe, pourrez-vous envoyer **Zélina** au bureau du directeur, s'il vous plaît ?

D'un ton enthousiaste, je réponds à la place de mon enseignante :

— **J'arrive !**

Rares sont les élèves heureux d'être appelés au bureau de monsieur Gendron, notre directeur. Mais moi, j'en suis **enchantée !** Surtout si c'est pour me sauver de mon œuvre *Horreur sauteuse et jus d'agrumes*. Je sais très bien pourquoi monsieur Gendron veut me voir. Il a certainement un problème avec son ordinateur **(encore !)** et il m'appelle au secours plutôt que d'attendre la visite du technicien, ce qui peut prendre autant de temps que de lire tout le dictionnaire de **« assommant »** à **« zombie »**.

Monsieur Gendron devra tout de même patienter quelques minutes. Comme l'école a été agrandie il y a trois ans, le trajet est long entre les classes de la sixième année et son bureau. Je descends l'escalier menant au rez-de-chaussée et je passe devant le gymnase, d'où me parviennent les **cris de joie** des gagnants d'une partie de basketball. Tout près, dans le corridor, un inconnu qui marche en sens inverse attire mon attention. Ses grosses boucles noires rebondissent sur sa tête au rythme de ses pas, comme les **RESSORTS D'UN PANTIN** dans une boîte à surprise. D'où il sort, celui-là ? Je croyais pourtant connaître tous les visages des élèves des deuxième et troisième cycles. Il est probablement **nouveau**. Après tout, j'ai été admise en cours d'année, moi aussi, il y a deux ans. Il n'y a donc rien d'inhabituel là-dedans ! Je ne peux pas m'empêcher de jeter un coup d'œil derrière mon épaule

lorsqu'il me dépasse. Sans porter attention à moi, l'inconnu se penche vers la
fontaine d'eau.

Ça suffit, l'espionnage ! On m'attend. Je poursuis donc mon chemin vers
le secrétariat. En m'approchant, j'entends
les sons caractéristiques de la colère de
monsieur Gendron qui se faufilent par la
porte entrouverte de son bureau.

— **ESPÈCE DE GROS BIDULE... DE
MACHIN DE BOUETTE... DE BOUT
DE... ARGH !**

J'étouffe un rire. En m'apercevant, la
secrétaire me presse d'entrer, avant
que son patron finisse par exploser ! Je
pénètre dans le bureau, où s'impatiente

un monsieur Gendron tout rouge et dépeigné. Même sa barbe est plus hirsute que d'habitude.

— **Ah ! Zélina, enfin !** Regarde mon écran ! Tout est devenu énorme tout d'un coup ! Je n'ai touché à rien, **je le jure !**

S'il n'a réellement touché à rien, c'est sûrement un **EXTRATERRESTRE** qui a lancé un rayon laser à l'appareil pour hypnotiser celui-ci. **« TOUCHÉ À RIEN ! »** **TSS !** Je suis à peu près certaine qu'il a modifié les paramètres de son ordinateur sans le vouloir. Une fois de plus…

Quelques clics me suffisent pour régler le problème. Le directeur me prend les épaules et s'exclame :

— Ah, Zélina! **Tu es un vrai génie !**
Qu'est-ce qu'on ferait sans toi ?

Je me contente de répondre par un sourire embarrassé. Si je n'étais pas là, il lirait le dictionnaire jusqu'à **« zombie »** et le technicien de la commission scolaire viendrait enfin régler son problème. C'est vrai que je suis assez douée avec la technologie, mais je n'aime pas tellement m'en vanter. La plupart du temps, j'ai l'impression de ne pas trop savoir ce que je fais, comme si la marche à suivre me venait **instinctivement !**

C'est probablement grâce à ma bonne mémoire. Ma mère dit toujours que j'ai hérité de la **mémoire phénoménale** de mon père. J'ai l'impression que mon cerveau est comme un disque dur. Pour retrouver une information que j'ai lue ou entendue, il me suffit de trouver le bon fichier. C'est la même chose quand vient le temps de réparer un appareil électronique ou de programmer un système !

À mon retour en classe, je n'ai même pas le temps de rejoindre mon pupitre que la cloche de la récréation sonne. Alors que nous enfilons nos manteaux de printemps et que nous changeons de chaussures, mon ami Félix me questionne :

— Gendron avait **encore** un problème avec son ordi et il avait besoin de **miss Génie ?**

Qu'est-ce qu'ils ont tous, aujourd'hui, à me traiter de génie ? J'essaie d'avoir l'air modeste en disant :

— J'ai rien fait de bien génial. Le problème était **ASSEZ NIAISEUX**.

Alors que nous sortons dans la cour, notre copine Élora se met de la partie :

— Avoue-le donc, que tu peux **TOUT FAIRE !**

Encore une fois, je suis embarrassée par le compliment. Je préfère changer de sujet.

— **Eh !** Avez-vous remarqué le nouveau ? Je sais pas il est dans quelle classe, mais il traînait devant le gymnase, tantôt. Ça avait l'air d'un élève de cinquième ou de sixième. En tout cas, s'il est en première, c'est qu'il a redoublé très souvent !

— Ça ne me dit rien, non, répond Élora.

Je parcours du regard les environs pour le repérer, mais je ne le vois nulle part. **BIZARRE !** Devant mon insistance à le retrouver, Félix se moque de moi.

— **OUIN, OUIN, ZEL !** Pour moi, il t'est tombé dans l'œil, **le nouveau !**

J'aimerais avoir l'air d'être sûre de moi et répliquer : « Pas pantoute ! », mais je ne parviens qu'à bredouiller :

— **PFFT ! NOOON... C'EST... TSSS... HEIN ?**

* * *

Pendant les jours qui suivent, le mystère du nouveau me **HANTE**. Et non, ce n'est pas parce qu'il m'est tombé dans l'œil! Je l'ai croisé plusieurs fois, toujours dans le même coin et chaque fois, il a semblé disparaître, comme s'il était **UN FANTÔME!**

Encore ce matin, il occupe mon esprit alors que je marche jusqu'à l'école. Ce mystère m'a aussi hantée toute la nuit! Je me sens complètement épuisée. Je m'apprête à traverser la rue, quand un bras m'arrête.

— **Holà, Choucroute!** Le feu est encore vert! Tu vas te faire écrapoutir comme un guacamole! fait la voix grave et rauque de madame Julienne, la brigadière.

OUPS! Le cerveau dans la brume, je n'ai pas attendu sagement que la main orangée de la lumière piéton fasse place au petit bonhomme blanc. J'ai mal choisi mon coin de rue pour commettre une telle imprudence ! C'est trop humiliant pour que j'ose l'avouer tout haut, mais madame Julienne m'a toujours fait… **UN PEU PEUR**.

Avec ses **CHAPEAUX FARFELUS** (l'autre jour, elle en portait un en forme de bouilloire !), ses chandails à trois manches, son pantalon poilu et ses bottes de pluie à motifs de borne-fontaine qu'elle porte beau temps, mauvais temps, tout me porte à croire que quelque chose **NE TOURNE PAS ROND** chez elle. Pas rond du tout ! En plus, quand elle parle, on dirait qu'elle a un éternel chat dans la gorge. Ou quelque chose d'encore plus gros, comme un lama. Oui, c'est ça, elle a **UN LAMA DANS LA GORGE !**

Je bafouille :

— Désolée, madame Julienne.

— On dirait que quelque chose te tracasse, Choucroute, je me trompe ? Tu penses à un **beau grand bonhomme** à bouclettes, non ?

Devant mon air hébété, elle éclate de rire. Comment a-t-elle deviné ? Cette femme est une **SORCIÈRE**, j'en suis de plus en plus certaine ! Je n'ai pas le temps de lui poser la question. Le petit bonhomme blanc m'invite à traverser.

Tout ça est de plus en plus **BIZARRE**. En classe, je suis si peu concentrée que madame Jacinthe me demande d'aller porter les fiches d'absence au secrétariat, en me disant :

— Ça te réveillera un peu !

C'est en route vers le secrétariat que je les remarque : les boudins noirs de **l'élève inconnu**, qui rebondissent en direction de l'escalier. C'est drôle, c'est la première fois que je l'aperçois au deuxième étage. Sans réfléchir, je me précipite à mon tour vers les marches. Cette fois-ci, c'est décidé, je mets de côté ma timidité et je vais lui parler.

Je traverse le corridor en courant. Tant pis pour les règles de vie de l'école ! J'entends ses pas dans les marches. Il retourne vers la fontaine près de la porte ; décidément, ce garçon se garde bien hydraté ! Pourtant, il appuie sur le bouton de la fontaine d'eau trois fois, sans boire. **CURiEUX**. Il s'approche davantage du mur turquoise à côté de la fontaine, et il touche à trois triangles de la fresque en relief. **ÉTRANGE**. Il revient ensuite sur ses pas, puis se glisse par la porte vitrée qui mène à l'escalier, à l'endroit même où il est disparu hier. Il ne semble pas me voir, même si je me trouve au beau milieu de l'escalier, à quelques mètres de lui. Il donne trois petits coups de pieds à une trappe sous les marches.

AH HA ! C'est donc par là qu'il se faufile ! Ah ! Eh bien non ! Il recule d'un pas, ouvre le tiroir d'un meuble qui contient tout le matériel du service de garde, et grimpe **DEDANS !** Il a beau être grand, ce tiroir, c'est impossible que cet élève parvienne à s'y cacher ! À la dernière seconde, il me remarque. Il m'adresse un sourire et un clin d'œil, puis disparaît en glissant, comme si un **toboggan** se trouvait dans le meuble de rangement.

Cette **ouverture secrète** se referme en un claquement sec. Je secoue ma tête pour retrouver mes esprits. Je m'approche à mon tour du meuble et je touche la poignée du bout du doigt. Comme rien ne se produit, j'ose la tirer vers moi. Le tiroir est rempli de ballons et des autres accessoires habituels.

Cette histoire est **TELLEMENT BIZARRE !** Maintenant, je sais comment ce gars réussit à se volatiliser. Je suis presque certaine qu'il n'est pas un fantôme, finalement. Mais je ne suis pas rassurée pour autant. Qu'est-ce qu'il peut bien faire dans ce tiroir?

À la récréation, je meurs d'envie de partager cette énigme avec Félix et Élora, mais je n'ose pas. Ils vont **encore** se moquer de moi. Et franchement, je les comprends. Moi aussi, je rirais bien si je m'écoutais raconter une telle **histoire à dormir debout !** Je compte plutôt leur rapporter des preuves. Dès que possible, je pénétrerai dans ce tiroir, ma tablette électronique à la main, et je rapporterai des photos de cet endroit secret!

Malheureusement, je ne parviens qu'à inventer des **EXCUSES RIDICULES** pour me glisser hors de la classe.

— Madame Jacinthe, j'ai… attrapé **UN VIRUS**. Je dois faire trois tours de la cour, sinon mes jambes risquent de paralyser.

— Franchement, Zélina, ton imagination m'étonne plus de jour en jour!

Je devrai m'y prendre autrement pour explorer cet **ÉTRANGE TIROIR** !

La journée s'achève sans que je réussisse à accomplir la mission que je me suis donnée. En rentrant chez moi, je suis morte de fatigue. Je me prépare un sandwich au beurre d'arachides et je me couche avant même que mon père rentre du travail. Quand j'ouvre les yeux à nouveau, le cadran affiche 23 h 01. Cette longue sieste m'a ragaillardie. Je ne me sens plus du tout fatiguée. Enfin… presque plus. Une chose est sûre: ma curiosité est plus éveillée que jamais! Je me demande bien si l'école est encore ouverte à cette heure. Peut-être que le concierge, monsieur Denis, y est toujours. Ce serait étonnant, mais ça vaut la peine que je vérifie. Je suis incapable de laisser ce **mystère** planer plus longtemps!

Je me glisse hors de mes couvertures et je descends au salon. Mes parents ne sont pas encore couchés. Ils regardent une série télé.

— Qu'est-ce que tu fais debout, Zélou? demande maman.

Parfois, ma bouche fait la course contre mon cerveau. Quand elle réussit à le dépasser, j'ai l'air de tout sauf une championne!

— Je m'en vais à l'école pour une activité de serpents et échelles nocturne.

Braaavooo !

À ma grande surprise, plutôt qu'exiger que je retourne me coucher sur-le-champ, ma mère demande :

— Est-ce qu'on avait signé une autorisation pour cette activité ?

Je réponds, d'un ton moins assuré que la fois où j'ai répondu 72 à la question « 6 x 8 » :

— Bien entendu !

— Veux-tu qu'on aille te reconduire ? offre maman.

— Non merci. Franchement, on est à deux minutes à pied de l'école!

— Alors je te souhaite plein d'échelles **ET PAS TROP DE SERPENTS!** répond simplement mon père.

Ça, c'est **TROP BIZARRE**. Normalement, ils ne me laisseraient **jamais** sortir à une heure pareille. Est-ce qu'ils ont été **ENSORCELÉS** par le gars dans le tiroir? Ou par Julienne la brigadière? Je n'ai pas le temps de me poser davantage de questions! Je n'aurai certainement pas une occasion aussi belle de connaître la vérité sur les **ÉTRANGES** dessous de l'école avant longtemps. Je dois en profiter! Je m'empresse donc de glisser ma tablette électronique dans mon sac à dos, d'enfiler ma veste de printemps et de me faufiler dans l'air frais du soir.

UNE INTRIGUE
SOUS L'ÉCOLE

Un peu inquiète de me promener seule la nuit et de ce que je trouverai à l'école, j'avance d'un pas peu assuré. J'approche de l'école et j'aperçois une **SILHOUETTE** près du passage pour piétons. On dirait… C'est impossible, elle ne travaille quand même pas **EN PLEINE NUIT !** Pourtant, personne d'autre, dans le quartier, ne peut porter un tel chapeau ! Cette fois-ci, il a la forme d'un énorme **canard en caoutchouc !** Pas de doute, c'est bien madame Julienne, la brigadière, qui m'attend pour me faire traverser. **Ça n'a aucun sens !**

— **Salut, Choucroute !** On s'attendait à ce que tu viennes un peu plus tôt!

— **HEIN ?** Mais…

Je suis complètement déboussolée. Madame Julienne me fait un clin d'œil. Ou plutôt, elle essaie. Sa face se plisse en une grimace qui lui donne davantage l'air d'une **SORCIÈRE**. Elle se dirige ensuite au milieu de la rue pour me laisser traverser le boulevard en toute sécurité. C'est bien inutile, puisque les voitures sont rares à cette heure-ci.

Je me dirige vers l'entrée principale. Je me doute bien qu'elle sera verrouillée: elle l'est toujours! J'essaie tout de même de m'y rendre. Je chercherai un autre accès si c'est barré. À mon grand étonnement, dès que j'approche de la porte,

28

un voyant lumineux près de la poignée passe du rouge au vert et un petit **« BIP »** m'indique que je peux ouvrir ! Cette histoire n'arrêtera donc jamais d'être **BIZARRE !** Depuis ma découverte du garçon inconnu, tout semble aller de travers et les adultes agissent de façon **ANORMALE.**

Suis-je venue jusqu'ici pour rebrousser chemin ? **Oh que non !** De toute façon, est-ce que j'aurais envie de passer à nouveau devant l'inquiétante madame Julienne ? **Absolument pas !** Je pénètre donc dans l'école. Je n'ai jamais entendu un tel silence dans les corridors, qui sont plongés dans une semi-pénombre. Je sais que le silence ne s'entend pas, mais… à l'heure qu'il est, je peux bien penser à des choses qui n'ont pas de sens !

Arrivée à l'endroit où j'ai souvent aperçu **l'intrigant inconnu aux cheveux noirs**, je m'arrête et j'essaie de retrouver ma respiration normale. J'inspire et j'expire longuement. Mon trac s'estompe. Allez, Zélina! Tu es si près du but! Je n'ai maintenant qu'une envie: enfin découvrir **la clé de ce mystère.**

Je ferme les yeux et j'essaie de me remémorer les différents mouvements du gars, avant qu'il disparaisse dans le tiroir. Il a appuyé sur le bouton de la fontaine d'eau trois fois. Je m'empresse de faire de même. Il a ensuite posé sa main sur trois des triangles du mur en relief. **Mais lesquels ?** Je ferme les yeux de nouveau. Mon cerveau-disque dur se rejoue la scène de «la disparition de l'étranger bizarre dans le tiroir».

Le garçon s'était approché du mur turquoise décoré de formes en relief. Je revois clairement ses doigts se promener d'un triangle à l'autre. Celui presque au centre, qui semble pointer vers le plafond. Celui un peu plus haut et à droite, qui ressemble à un nez dans un visage très pointu, et le troisième, tout au bout, à la hauteur de sa taille.

Super! Je crois savoir ce que je dois faire! Je touche à mon tour les formes bien précises sur le mur. Une, deux, trois. Je cours ensuite si vite vers la porte vitrée qui mène aux escaliers que je passe près de m'y fracasser le nez! Je l'ouvre vivement. Je vais donner trois coups de pieds à la trappe sous les marches, puis je reviens devant le tiroir. Je m'arrête une seconde; mon stress est revenu d'un coup. Cependant, cette fois-ci, l'idée de reculer ne me traverse même pas l'esprit. J'ouvre la porte secrète : **ça a fonctionné !** Les articles du service de garde ont disparu. Seule une vague odeur de caoutchouc persiste. Je remarque que le fond est pentu, comme le haut d'une glissade. Malheureusement, il fait **TROP NOIR** là-dedans pour que je puisse apercevoir le bout de la glissade.

Je me faufile dans le tiroir, pieds devant, et je me sens aussitôt glisser vers le bas. Mon cœur s'arrête, l'espace d'une seconde. La pente n'est pas très abrupte, pourtant ! Mais je n'ai aucune idée d'où elle me mènera.

J'atterris finalement sur ce gros coussin : un sac rempli de billes de polystyrène, comme ceux qui accueillent nos moments de lecture à la bibliothèque. Je suis d'abord aveuglée par la forte lumière des lieux. Je n'entends rien, mis à part un bourdonnement d'appareils électroniques. Peu à peu, je distingue ce qui m'entoure.

Quel endroit étrange ! J'ai l'impression d'avoir été transportée dans un tout autre bâtiment, tellement c'est loin de ressembler au reste de l'école !

La vaste salle où je me trouve est divisée en différentes sections, dont la plupart sont séparées par de grandes vitres. Près de moi, une table est surmontée de plusieurs ordinateurs et entourée de quelques fauteuils d'apparence confortable.

Au mur s'aligne une série d'écrans. Sur un d'eux défilent des photos et des **portraits-robots** accompagnés de noms et de quelques caractéristiques physiques.

JEAN-GONZAGUE JONES, 47 ANS,
VERRUE AU MILIEU DU FRONT,
VOLEUR DE RENSEIGNEMENTS
GOUVERNEMENTAUX EN TOUT GENRE.
//
ANNA-GABRIELLA BIBI, 24 ANS,
TATOUAGE DE LICORNE SUR LA NUQUE,
HACKEUSE DE HAUT NIVEAU.
//
ISIDORE MACVOYOU, 62 ANS,
GÉNIE CRIMINEL, SA CRUAUTÉ
NE SEMBLE PAS AVOIR DE LIMITE.

J'espère que ce ne sont pas les portraits d'une agence de rencontres! **HA, HA!**

Sur les autres écrans, je reconnais différents lieux de l'école : les couloirs, le gymnase et les portes de sortie.

Je me lève et longe une rangée de casiers qui me rappellent ceux des étages plus haut. J'arrive ainsi devant de larges marches qui descendent jusqu'à une pièce encore plus vaste. Ça semble être un gymnase. Tout cet équipement rendrait **jaloux** le prof d'éducation physique! J'y vois des murs d'escalade, un trampoline, un circuit pour faire du parkour et bien d'autres appareils que je peine à identifier. Un coin cuisinette occupe l'espace du fond. Ça donne un drôle de mélange d'odeurs de vestiaire sportif et de dîner réchauffé quelques heures plus tôt.

Je reviens sur mes pas. En chemin, je croise d'autres grandes tables qui pourraient servir dans une classe. Sauf que je serais étonnée que des élèves de l'école viennent suivre des cours ici !

Le fond de la première pièce m'intrigue particulièrement. Je suis attirée tel un aimant vers cet atelier de rêve pour amateurs de robotique : des pièces électroniques de toutes les formes sont rangées dans une grande étagère métallique, et sur un établi reposent des outils à la **fine pointe de la technologie**. Une porte fermée, au fond de l'atelier, retient aussi mon attention.

Un petit écriteau annonce qu'elle mène au **labo Kiwi**. Un labo... de fruits? C'est bien **MYSTÉRIEUX!** Un clavier numérique à la droite du battant me laisse deviner qu'elle est verrouillée. Hum... Je sens que je pourrais aisément déjouer le code. Mais on verra ça plus tard! Il me reste bien des recoins à explorer!

De l'autre côté d'un paravent de verre, le décor vieillot contraste avec toute la modernité qui m'entoure. Une table de travail en bois massif, une haute bibliothèque, un sofa élimé et un tapis qui volerait s'il se trouvait dans un film. Tout cela rappelle le bureau d'un duc dans un **ANCIEN MANOIR**.

Qu'est-ce que c'est que cet endroit? J'en saurai sans doute plus en fouillant dans les ordinateurs près de l'entrée. Je prendrai des photos avec ma tablette un peu plus tard. Je marche sur la pointe des pieds, soudain consciente que je suis sans doute dans **L'ILLÉGALITÉ** en ce moment. Pourtant, j'éprouve une drôle de sensation de sérénité, comme si je m'y sentais un peu chez moi.

Je m'assois devant un des écrans : on exige un mot de passe pour ouvrir l'interface, mais ça n'a pas l'habitude de m'arrêter ! Soudain, un toussotement me fait faire un tel **BOND** que la chaise sur laquelle je suis assise bascule. Je me retrouve le dos au sol avant même d'avoir compris ce qui m'arrivait.

Au-dessus de ma tête endolorie se penchent trois visages : celui d'un homme qui rappelle un père Noël en manque de biscuits, celui d'un ado qui porte huit poils en guise de moustache et celui… de **madame Julienne !** Ces trois-là me semblent tout à coup bien pires que tous les ninjas du monde. Ça y est, maintenant, je suis dans le trouble **JUSQU'AU COU !**

L'AGENCE TAC

L'ado me sourit. Ce sourire se veut peut-être **sympathique**, mais je ne suis pas rassurée **DU TOUT**. Le garçon m'aide à me remettre sur mes pieds et à me rasseoir sur la chaise, que madame Julienne a replacée. Le père Noël me tapote l'épaule. Il prend la parole, d'une voix puissante :

— Désolé, jeune fille. On ne voulait pas t'effrayer. Bienvenue à **l'agence TAC !**

« L'agence TAC ? » Je crois que c'est le nom d'agence le moins sérieux du monde. Et pourtant, en maternelle, mes amis et moi avions fondé **l'agence de survie des vers-de-terre !**

Je bafouille :

— L'agence… **TAC ?**

Cette fois-ci, c'est madame Julienne qui répond :

— TAC pour « Techno Anti-Crapules » !

Je m'apprête à répliquer que ça ressemble plutôt à une blague, tout ça, mais l'adolescent fait un petit mouvement de la main que je traduis par : « Laisse tomber, sinon on ne sortira jamais d'ici ! »

J'apprends alors, de la bouche du père Noël, l'incroyable histoire de cette agence. Le vieux s'appelle en fait William Ernestin Boris ou **Web, pour les intimes**. Lorsqu'ils étaient adolescents (aussi bien dire il y a cent ans!), Web et Julienne étaient déjà de très grands amis, unis par leur amour de la technologie (incroyablement peu développée à l'époque, je présume).

Sous leurs airs de *geeks* se cachaient cependant de **grands intrépides**. Entre deux créations de robots laceurs de chaussures et de machines à laver inventrices de mots croisés, ils parcouraient la ville entière à la recherche de **mystères à élucider**. Vraiment, ces deux-là étaient incapables de s'arrêter!

Ils ont compris qu'ils pourraient régler des problèmes que les adultes ne réussissaient pas à solutionner et à arrêter bien des bandits moins futés qu'eux deux. C'est alors qu'ils ont fondé l'agence, dans le sous-sol de chez Web.

Au cours des années, Julienne et Web ont réussi à freiner les voleurs de paquets de gommes à mâcher en installant un **système sophistiqué** qui projetait un jet de **« JUS » DE MOUFETTE** sur quiconque partait du dépanneur du coin sans payer. Ils ont aussi trouvé une façon de sauver la réputation du maire de leur village en inventant une machine capable de retrouver en un rien de temps le dentier qu'il perdait sans cesse au fond de la piscine. **Mais ce n'est pas tout !** Ils ont aussi accompli des missions encore plus importantes et **DANGEREUSES**, comme mettre des bâtons dans les roues au vilain Johnny Red, qui détournait sans cesse les avions pour amener sa famille nombreuse dans le Sud. Entretemps, ils poursuivaient leur vie d'adolescents presque normaux.

Bien vite, Web et Julienne n'ont plus fourni à la tâche. Entre les frères Moutarde, de grands voleurs de banques internationaux, et la bande de la Perchaude masquée, qui imprimait de faux billets, ils en avaient plein les bras. Ils ont dû **trouver des renforts**. Rapidement, ils se sont rendu compte que leurs meilleurs alliés étaient les jeunes, aussi énergiques qu'eux.

Web précise :

— **OUAIS**, les vieux, ils ont le cerveau mou! Encore aujourd'hui, on est convaincus que les meilleurs agents possibles ont entre dix et dix-sept ans. Alors, quand ils atteignent les dix-huit ans, les agents sont **« mis à la retraite »** de leur carrière d'agent. Sauf Julienne et moi, bien sûr.

C'est une phrase **BIEN ÉTRANGE** venant d'un homme qui semble avoir cent douze ans... **minimum !**

Web poursuit en expliquant que l'agence doit déménager régulièrement, question de ne pas être découverte. Elle est donc passée du sous-sol à un cabanon abandonné, sur le terrain d'une vieille dame qui ne sortait jamais de chez elle. Julienne, Web et leurs trois agents de l'époque ont ensuite trouvé refuge dans le grenier d'une clinique dentaire. Ils ne sont pas restés là très longtemps ; les cris des clients du dentiste les **TERRIFIAIENT** plus encore que leurs plus **CRUELS ENNEMIS !** Après quelques lieux top secret dont ils ne révéleront jamais les coordonnées exactes, ils ont tiré parti de la fin de la mode des photomatons pour creuser un **passage secret** sous une boîte à photos du centre commercial.

Julienne poursuit :

— Puis, on a profité de l'agrandissement de l'école Saint-Claude pour construire les nouveaux locaux de l'agence, avec la complicité du directeur. C'est d'ailleurs tes parents qui nous ont donné l'idée !

Mes parents ? Qu'est-ce qu'ils ont à voir avec toute cette histoire ? Devant mes sourcils froncés, Web explique :

— Tes parents ont été deux de nos meilleurs agents, dans leur jeunesse. De qui crois-tu que tu tiens ton don pour comprendre tout ce qui touche à la technologie ?

Je suis abasourdie. Et dire que j'ai dû aider ma mère à changer l'heure sur le four à micro-ondes, l'autre jour ! **Eh bien !** On dirait qu'elle est une meilleure comédienne que je l'imaginais. Cela explique toutefois comment j'ai réussi à sortir de la maison aussi facilement à une heure aussi tardive. Ils savaient **exactement** où je m'en allais !

Je sors de ma stupeur pour demander :

— Donc… Je fais maintenant partie de l'agence ? Comment ça fonctionne, tout ça ? Je devrai faire des allers et retours entre ici et ma classe ?

L'ado, qui s'appelle en fait Benjamin, me répond :

— Les agents ne vont pas à l'école en haut. Ils suivent tous leurs cours ici : français, mathématiques, anglais, univers social et sciences. En plus des cours de programmation, d'improvisation, de jonglerie, d'italien, de serbo-croate, de mandarin, d'escalade, de pâtisserie, de cirage de chaussures et j'en passe !

Des cours de… cirage de chaussures? Ça ne peut pas **être vrai !** Ils ont pourtant l'air tout à fait sérieux. Je commence à croire qu'avec ces trois-là, on peut s'attendre à tout.

— **Ah !** Voilà pourquoi le gars que j'ai croisé plusieurs fois n'est dans aucune classe! En tout cas, vos agents ne sont pas tous très subtils!

OUPS ! Ma réplique est un peu plus arrogante que je l'aurais voulue. Heureusement, Web esquisse un sourire en coin et s'exclame:

— **Hubert ?** On l'a envoyé pour attirer ton attention! Il est en fait un de nos **meilleurs agents**. Il a intégré l'agence à l'âge de huit ans! Entrer et sortir subtilement ne pose pas de défi pour lui.

— Parlant d'entrer et de sortir, pourquoi n'avez-vous pas prévu un système plus sophistiqué pour éviter qu'un élève de Saint-Claude aboutisse ici par erreur? Avec de la reconnaissance vocale, faciale, des capteurs d'empreintes digitales… ça n'a rien de sorcier, tout ça, pour une agence qui se dit techno!

Web et Julienne éclatent de rire:

— **Choucroute!** Tu te crois dans un film de James Bond? Tu verras que la réalité est souvent plus simple. Et parfois, encore plus **ABRACADABRANTE!**

Elle a parfaitement raison : je trouve toute cette histoire complètement folle… mais aussi extrêmement excitante ! Je suis maintenant une **AGENTE SECRET !** Mes talents vont enfin servir à autre chose qu'ajuster l'heure du four à micro-ondes ou rebrancher le moniteur du directeur !

Madame Julienne freine cependant mon enthousiasme lorsqu'elle voit les étoiles dans mes yeux :

— **Minute, Choucroute !** D'abord, tu devras faire tes preuves. Aucun agent n'entre officiellement à l'agence TAC sans avoir réalisé plusieurs **missions d'entraînement**.

En entendant le soupir de Benjamin, qui me tapote l'épaule d'un geste plein de compassion, je me doute déjà que ces missions ne seront pas de tout repos! Aussi bien retourner me coucher. Je sens que la journée de demain sera bien remplie! Je m'apprête à escalader le toboggan qui m'a menée ici, mais je m'arrête avant d'avoir **L'AIR FOU** en dégringolant jusqu'en bas.

— Au fait, comment on sort?

Web me pointe du doigt l'accès à un **tunnel** faiblement éclairé, tout près du toboggan. J'y pénètre et je suis un long corridor aux murs décorés de grandes fresques colorées. Je croise quelques portes sur ma route. Parfois, une petite plaque indique ce qui se trouve derrière, comme ici:

Toilettes des garçons près de la porte 5.

Mieux vaut ne pas passer par là!

Devant d'autres portes, une caméra donne un aperçu de la sortie, nous assurant que la voie est libre. Ici, je reconnais l'intérieur et l'extérieur du placard du concierge. **HUM...** une autre fois, peut-être. Là, je déduis qu'il s'agit du salon du personnel. **C'est tentant!** Alors que je pose ma main sur cette poignée, madame Julienne m'arrête. Elle m'a silencieusement suivie jusqu'ici sans que je la remarque. Elle précise:

— On passe habituellement par là.

Elle désigne alors la porte suivante, sur laquelle est écrit :

Fond de la cour

En effet, cette sortie est beaucoup plus subtile. De l'autre côté de la porte grimpe un long escalier, qui mène à une trappe. Je pousse celle-ci aisément, ce qui est **ÉTONNANT** puisqu'elle est surmontée d'une **grosse motte d'herbe**, pour mieux se fondre dans le décor. Une fois le trou refermé, personne ne peut s'imaginer qu'il existe. D'ailleurs, par mesure de sécurité, aucune de ces sorties ne peuvent s'ouvrir de l'extérieur.

Je sens que je n'en suis pas à ma dernière découverte !

DONNE LA PATTE!

Impossible de dormir après un début de nuit **AUSSI EXCITANT!** D'ailleurs, en arrivant à la maison, j'avais mille et une questions à poser à mes parents. Ils y ont répondu volontiers, restant vagues toutefois sur leur passé à l'agence et sur les missions qu'ils y avaient menées. À l'heure où j'aurais dû me lever, mes parents m'ont laissée roupiller. Ils ont téléphoné à l'école pour signaler mon absence pour la journée. En vérité, à partir de dix heures, je serais bien présente, mais… **SOUS l'école!**

En approchant de la porte vitrée près de l'entrée secrète, je prends des allures de ninja. Personne dans les environs : **c'est parfait**, je peux m'y faufiler! Je compose **L'ÉTRANGE CODE** (le bouton de la fontaine d'eau, les triangles, la trappe), puis je saute dans le tiroir. Cette fois-ci, je suis un peu moins intriguée et, surtout, moins anxieuse! J'atterris sur le gros coussin et j'y reste un instant, observant l'activité des lieux, qui s'avère beaucoup plus importante de jour que de nuit! Une vingtaine de jeunes s'affairent ici et là, éparpillés dans les différentes sections.

Quelques-uns sont regroupés autour d'une table, devant un tableau interactif où est projetée une leçon vidéo de français. D'autres s'occupent dans l'atelier de

robotique. Trois personnes sont concen-
trées devant les ordinateurs, près de moi.
J'entends les cris d'encouragement de
ceux qui s'entraînent au gymnase. Web,
installé à son bureau d'une autre époque,
me salue de la main en m'apercevant.

Tout à coup, une **LOURDE MASSE** me
tombe dans le dos, avant de s'exclamer :

— ARGH ! POUSSE-TOi !

Je me lève vivement en frottant mes fesses
endolories. En me retournant, j'aperçois Hubert, le gars aux cheveux frisés.
Eh bien ! Il est charmant, celui-là !
Mais j'ai appris la première leçon : une
fois en bas du toboggan, il vaut mieux
bouger rapidement !

La porte au fond de l'atelier, celle qui semble verrouillée en permanence, s'ouvre sur Benjamin. Il vient aussitôt vers moi.

— Bienvenue officiellement, Zélina ! Viens. Tout est prêt pour ta **première mission d'entraînement**.

Je ne sais pas du tout à quoi m'attendre, mais je suis aussi **ÉNERVÉE** que le jour où j'ai enfin eu la taille pour monter dans les plus grosses montagnes russes du parc d'attractions près de chez mon oncle. Mon excitation descend toutefois de plusieurs crans quand j'entends un garçon assis devant un ordinateur me chuchoter : **« OUF ! BON COURAGE ! »**

Benjamin m'entraîne jusqu'à la section atelier de l'agence. Va-t-on passer par la porte bien gardée du **labo Kiwi ?** Non, il s'arrête plutôt devant une étagère pleine de pièces de toutes les formes et de matières diverses. Il se penche et fait un petit bruit avec ses lèvres, comme quand on appelle un animal. Quelques secondes plus tard apparaît… rien du tout. Benjamin fronce les sourcils et jette plutôt un coup d'œil derrière un autre meuble. Je le suis du regard et je vois un robot de la taille du **caniche nain** de ma voisine. Il a d'ailleurs la même forme et le même air un peu stupide que Bibou le chien, en moins poilu, bien sûr !

Benjamin débranche le fil qui relie la bête électronique au mur et explique :

— Ta première mission d'entraînement sera d'enseigner à Wi-Fido, notre robot de compagnie, à donner la patte, sans le reprogrammer. **Bonne chance !**

Ça ne peut pas être bien difficile, tout ça! me dis-je. Lorsque Benjamin le dépose entre mes mains, le chien se met aussitôt à japper d'une **VOiX MÉTALLiQUE** désagréable, comme si un chihuahua aboyait dans une boîte de conserve. Je le tourne dans tous les sens. Personne ne semble avoir cru bon d'ajouter un contrôle du son sur cette horrible invention? Ça me paraît invraisemblable! On bâtit maintenant des systèmes d'intelligence artificielle assez perfectionnés pour donner l'impression de parler à un vrai humain, mais on ne peut pas ajouter un bouton qui ferait taire **CETTE MACHiNE iNFERNALE ?**

J'essaie de caresser son dos, comme je le ferais avec un vrai animal. Je me sens complètement ridicule. Sous mes doigts, les quelques fils qui dépassent et les tiges de métal qui relient le tout me donnent l'impression de flatter un grille-pain **DÉMANTIBULÉ**. J'entends d'ailleurs Hubert pouffer de rire derrière moi. Ce gars m'irrite de plus en plus ! Mais au moins, Wi-Fido se calme. J'arrive aussi à le faire asseoir grâce à une simple commande vocale. **Super !** Mais la consigne **« donne la patte »** ne semble pas intégrée à son système. Le chien-robot se lève et trotte plus loin. **NON ! PAS PAR LÀ, BESTIOLE IDIOTE !**

Je le suis vers une table où des agents sont en pleine leçon de mathématiques. Mon air désespéré leur fait perdre toute

concentration, et les voilà qui **éclatent de rire**.

L'un d'eux, en désignant la bête androïde, qui renifle maintenant une patte de chaise, dit simplement :

— OH, OH ! ATTENTION !

ATTENTION ? ATTENTION À QUOI ?
Le chien lève alors sa patte de métal. De minuscules boulons dégringolent aussitôt. Un petit **« TIC, TIC, TIC »** résonne alors que cette étrange chute atteint le sol. J'imagine que je devrai ramasser cette… **FLAQUE ?**

Alors que je me penche pour évaluer les dégâts, une lumière rouge se met à clignoter au plafond. Elle est accompagnée d'une alarme sonore. On dirait le cri que pousse ma mère quand elle boit une gorgée de son café trop chaud le matin.

Tous les agents se lèvent et regardent en direction de Web. Ce dernier prend un porte-voix turquoise qui, j'imagine, lui évite de crier pour que tout le monde l'entende. Le son qui en sort est aussi clair que si le patron parlait directement dans mon oreille. C'est beaucoup plus **impressionnant** qu'un chien-robot!

— Mesdames et messieurs, François-Gabriel vient d'intercepter et de décrypter **un message secret**. Les communications entre la tour de contrôle de l'aéroport de Dorval et les avions des environs sont compromises. On croit que Gratien Mayo et sa bande pourraient être derrière tout ça. Des centaines de passagers sont **EN DANGER!** Il faut faire vite!

Web donne ses directives. J'en profite pour apprendre le nom de mes futurs collègues. Les chances sont fortes que je ne les oublie jamais.

— Arnaud, Mahée, Léo, Paul, Hubert, vous serez nos agents de terrain. L'hélico vous attend!

Un hélicoptère dans les environs? Ce n'est pas très subtil! Pourtant, ça semble être une habitude de l'agence, puisque toute l'équipe trouve ça normal et se dirige vers le tunnel de sortie! Web poursuit:

— Tommy, Naïma, Nathan, **à vos ordinateurs!** Tentez de détourner les renseignements qui circulent entre les malfaiteurs. Zélina…

Je suis si surprise d'entendre mon nom que je recule d'un pas. Mon pied se pose directement dans le tas de pipiboulon de Wi-Fido! Ça y est! Je vais pouvoir participer à **une VRAIE mission!**

— Zélina, poursuis ton entraînement.

ARGH! C'EST TROP INJUSTE! Je pourrais leur être utile, mais non! Je dois plutôt jouer les gardiennes de chien! D'ailleurs, où est-elle, cette stupide bête?

Je scrute tous les coins de la pièce: Wi-Fido est **introuvable!** Mon cœur se met à battre de plus en plus vite. J'espère qu'il ne s'est pas faufilé dans le tunnel de sortie avec les autres agents! Je fais le tour de la grande pièce. Je regarde sous la table de travail de Web et derrière son vieux sofa. En me tournant vers l'atelier, je remarque que la porte du **labo Kiwi** est entrouverte. Quelle belle occasion de jeter un coup d'œil à l'intérieur!

Je retrouve ma démarche de ninja, même si c'est complètement inutile. Tout le monde est attentif à sa tâche et personne ne fait attention à moi. Je me glisse ainsi jusqu'à la porte. Tout est sombre à l'intérieur, sauf un filet de lumière provenant de l'atelier, qui parvient à éclairer une drôle de **boîte métallique** qui a la grosseur d'un réfrigérateur. Je vois aussi une paire de chaussures, qui traînent par terre tout près. **ÉTRANGE...**

Ma curiosité me pousse à ouvrir la porte un peu plus grand.

— Je crois que tu cherches ceci!

ZUT ! Julienne semble avoir vu clair dans mes intentions. Elle me tend le robot de compagnie, qui agite la queue en m'apercevant.

— **Eh bien, Choucroute !** On dirait qu'il t'aime déjà, ce Fidodido!

S'il m'aimait vraiment, **il m'obéirait !** Mais dans la demi-heure suivante, il ne fait qu'à sa tête! Il tourne, jappe, mordille tout ce qui tombe sous ses fausses dents. Pendant ce temps, ça fourmille autour de moi. J'écoute Web et Benjamin donner de nouvelles consignes aux agents.

J'entends Tommy annoncer qu'il a réussi à freiner un premier **MALFRAT**, pendant que je soulève, dépose, soulève et redépose la patte de la bestiole. Je crois que je ne me suis jamais sentie **aussi inutile de toute ma vie !**

Un peu moins d'une heure plus tard, les agents de terrain téléphonent pour rassurer tout le monde : la menace a été écartée !

Agence TAC : 1

Gratien Mayo : 0

De mon côté… c'est l'échec total.

5

L'ÉTRANGE LABO KIWI

Dans les jours suivants, je suis les cours de français, de mathématiques, d'italien, d'escalade et de pâtisserie avec les autres agents de mon âge, dont Hubert, qui ne rate pas une occasion de me faire sentir comme une **petite nouvelle** et même, parfois, comme une **GROSSE NOUILLE**.

À travers ces apprentissages, mes missions d'entraînement s'accumulent, à mon **PLUS GRAND MALHEUR**. Dire que je croyais que dresser un chien-robot resterait un moment de grand ridicule dans ma vie! Je n'avais vraiment **aucune idée** de ce qui m'attendait!

Ainsi, j'ai dû :

☑ me rendre **incognito** dans le local du concierge de l'école régulière pour rapporter un tournevis plat ;

☑ apprendre une chanson pour enfants en japonais, et ensuite l'enregistrer (je me demande si Hubert a eu à **SUBIR CETTE ÉPREUVE** et, dans ce cas, si je peux mettre la main sur son enregistrement !) ;

☑ fabriquer une réplique de la Station spatiale internationale en **cure-dents** ;

☑ nettoyer le **DÉGÂT** de smoothie aux petits fruits de Julienne, collé au plafond de la section cuisine. Comme celle-ci est tout au fond du gymnase, le plafond est très, très haut et j'ai dû installer, à l'aide d'un **grappin**, un **système de cordages** à une des poutres du plafond pour atteindre la **FLAQUE MAUVE**.

J'ai fini par remplir toutes ces missions avec brio… **EUH...** avec efficacité... Bon, d'accord, si Web et Julienne m'avaient donné une note pour chaque mission, j'aurais passé à 60 % tout juste.

Et pendant ce temps, autour de moi, **les VRAIES DE VRAIES missions** s'accumulaient. Les agents ont :

☑ **sauvé** le directeur de l'agence nucléaire mondiale ;

☑ démasqué un **TROLL** qui faisait rage sur les réseaux sociaux ;

☑ trouvé une solution pour éviter la trop grande présence **D'ONDES NOCIVES** aux oiseaux dans une réserve naturelle du Costa Rica;

☑ empêché le **CAMBRIOLAGE** d'un grand casino de Las Vegas.

J'ai du mal à croire qu'Hubert, Benjamin, Nathan, Mahée et les autres aient dû **SUBIR LE MÊME SORT** que moi, à leur entrée dans l'agence. À certains moments, je préférerais être dans ma classe, deux étages au-dessus, à faire des mathématiques avec Félix et Élora. Je n'aime pas non plus devoir **MENTIR** à mes amis. Ils doivent commencer à s'inquiéter de me savoir toujours malade!

Un soir, alors que je viens tout juste de rentrer de mon éreintante et **ABSURDE** journée à l'agence, je constate qu'avoir une **double vie** ne sera pas de tout repos! Avachie sur le divan, j'attends impatiemment l'heure du souper en farfouillant dans Internet. Soudain, un message apparaît au coin de l'écran de ma tablette électronique.

Félix

Zel! Tu es encore malade?

Pendant combien de temps cette excuse peut-elle être crédible pour mes meilleurs amis avant qu'ils me croient à demi morte? Il est probablement temps de trouver autre chose. **Mais QUOI?**

J'ai attrapé un **VIRUS EXTRATERRESTRE** ;

Ma grippe a dégénéré. J'ai toussé **MON POUMON** ;

PIRE : ma grippe a dégénéré. J'ai toussé **UN POULAMON** ;

PIRE QUE PIRE : ma grippe a dégénéré. J'ai toussé **UN POUPON**. Je l'ai appelé **GASTON**.

Pendant que j'étais malade, mon père est tombé sur un **concours international de robotique**. Mes parents ont tellement envie que j'y participe qu'ils sont prêts à me donner le plus de temps possible pour créer mon invention. Ma mère me fera l'école à la maison.

La dernière excuse reste de loin la meilleure que j'aie trouvée. C'est donc ce que j'écris à Félix. Est-ce que mon histoire le convaincra? En appuyant sur **« envoyer »**, je n'en suis pas sûre... Heureusement, sa réponse ne tarde pas :

Félix

> Wow! C'est donc bien cool! On va s'ennuyer de toi, à l'école, par contre.

Zélina

> On trouvera plein de moments pour se voir, t'en fais pas ! 😉

OUAIS... Je veux bien essayer de le rassurer, mais j'ignore si j'aurai encore bien des occasions de passer du temps avec mes copains, quand je serai membre officielle de l'agence. Cette pensée m'attriste. J'étais tellement intriguée par ma découverte de ce **lieu secret** et des nouvelles possibilités qui m'étaient offertes ! Je n'avais pas pensé que dorénavant, je verrais beaucoup moins souvent mes meilleurs amis. Chaque problème a sa solution, non ? On finira bien par en trouver une !

Pour que mon histoire soit plus crédible, le lendemain, avant de descendre à l'agence, je passe par ma classe pour expliquer à tous ce que sera ma nouvelle vie. Enfin… **ma fausse nouvelle vie !** Je vide mon pupitre (je prends soin d'oublier ma sauterelle et son dégât de jus d'orange), puis je salue tout le monde. Je regarde tristement Félix et Élora.

Je n'ai pas du tout envie de leur mentir!
Mais Web et Julienne n'accepteraient
JAMAIS de me prendre parmi eux si je
faisais savoir à tous que des agents secrets
sont basés **sous l'école**!

Le cœur encore lourd, je saute dans le
tiroir. En bas, ça grouille déjà comme
dans une fourmilière. J'entends dire entre
les branches que Jean-Gonzague Jones,
un des **PLUS GRANDS ENNEMIS** de
l'agence depuis plus de vingt ans, a encore
fait des siennes.

Web s'avance vers moi, un large sourire
aux lèvres. **Ça y est!** Cette fois-ci, c'est
vrai : il me demandera **ENFIN** de leur
donner un coup de pouce! Le grand
patron entoure mes épaules de son bras
et il me dit :

— Aujourd'hui, Zélina, tu auras une mission beaucoup plus **spéciale !**

— Mon entraînement est terminé?

— Non, pas encore. En revanche, je crois que cette épreuve te plaira particulièrement.

Il m'entraîne vers le **labo Kiwi**. Wi-Fido fraîchement rechargé court entre mes pieds. Je passe près de marcher dessus. **BAH !** Ce ne serait pas une bien grosse perte si quelqu'un finissait par bousiller ses circuits.

Web compose ensuite un code sur le pavé numérique de la grosse porte verrouillée. Il pose son auriculaire sur un petit écran que je n'avais pas remarqué avant. Ce dernier s'illumine et un **DÉCLIC** se fait entendre dans le mécanisme de la porte. Web abaisse le levier qui fait office de poignée, puis il ouvre enfin la porte.

J'ai si hâte de voir ce que dissimule cette pièce **ultrasecrète** que je m'y rue avant le patron. Je suis entourée de toutes sortes d'inventions. Enfin… j'imagine que ce drôle de frigo ne sert pas qu'à refroidir un vieux pot de **YOGOURT PÉRIMÉ** et que ces espadrilles ne font pas que sentir le **CHEDDAR EXTRA-FORT**!

Étrangement, ma plus grande curiosité du moment concerne le nom donné à ce labo. Web explique:

— Au départ, le labo et l'agence n'étaient pas au même endroit. Julienne avait décidé de l'appeler le labo « caché ici, oui oui, ici », ce qui est vite devenu Kiwi.

Ce n'est pas tellement plus logique, mais je ne vois pas l'intérêt d'insister.

Web me présente quelques-unes des **créations secrètes** de ses agents.

— Les chaussures de sport, juste là, permettent de voler.

Wow ! Ça, c'est génial ! Plus encore que les gadgets des films de superhéros ! Je suis toutefois un peu moins épatée quand Web ajoute :

— Bon… On ne peut léviter que de douze centimètres, mais c'est un début.

DOUZE CENTIMÈTRES? Tss!

À quoi ça pourrait servir? C'est à peine assez haut pour éviter de marcher sur une pelure de banane!

Il me présente aussi le robot démineur – qui a fini par être utilisé comme perforatrice à trois trous –, le moteur à base de purin, le robot nutritionniste – c'est lui qui a causé l'accident de smoothie de Julienne – et le téléphone cellulaire invisible (mais encore visible pour l'instant...).

Finalement, il pointe du doigt le frigo et dit :

— Et voici notre plus merveilleuse création : **notre machine à voyager dans le temps!**

Mes yeux s'arrondissent. Si je n'y prenais pas garde, mon menton irait sûrement toucher le sol. Une machine à voyager dans le temps ? **Une vraie de vraie ?** Comment les agents ont-ils réussi à briser la continuité espace-temps ?

Web sourit et me demande :

— Tu veux l'essayer ? À moins que tu préfères aller promener Wi-Fido ?

— **NON, NON !** Un petit tour dans le frigo, ça me va ! Alors, qu'est-ce que vous allez m'envoyer faire ? Dresser un brontosaure pour qu'il donne la patte ?

— **HA, HA !** Ce serait impossible. Notre machine à voyager dans le temps recule de trente ans, au maximum. Aussi, on ne peut effectuer qu'un aller-retour par semaine, sinon, **ELLE SURCHAUFFE**. Donc, assure-toi de bien revenir ici après ton aventure ! C'est pour cette raison qu'on s'en sert rarement dans nos missions.

Il me semblait bien que cette machine ne pouvait pas être **AUSSI incroyable !** Web poursuit :

— Tu iras donc faire un tour en 1991. C'est une épreuve de **la plus haute importance**. Dans ce temps-là, mener à bien une mission était beaucoup plus difficile. Les agents de l'époque, comme tes parents et moi, ne disposaient pas des mêmes outils qu'aujourd'hui. Vous l'avez **tellement facile**, vous, les jeunes !

— **PFF ! FACILE, FACILE...** Les crimi-nels non plus n'avaient pas les mêmes outils pour faire le mal !

J'ai parlé un peu vite et je m'en veux d'avoir été, malgré moi, impolie avec mon grand patron. Mais je pense ce que j'ai dit : je ne peux pas croire que c'était **SI compliqué que ça !** Et dans quelques instants, j'aurai l'occasion de le lui prouver !

— J'aime beaucoup ta confiance en toi ; c'est une **belle qualité** chez les agents secrets.

Web ouvre alors un grand placard et en sort un jeans, un **blouson en denim** de taille extra-grande et un chandail lilas. Ce n'est pas exactement mon style ! Je com-prends vite que pour passer inaperçue,

mon t-shirt de **LICORNE PUNK** n'est pas un très bon choix! Je change vite fait de tenue, derrière un paravent. Les vêtements sont trop grands et franchement loin de la mode du jour! Web me tend aussi un sac à dos à motifs de damier noir et jaune fluorescent, sans m'informer de ce qu'il contient. J'imagine que je suis maintenant prête à sauter dans le XXe siècle!

J'entre dans la machine à voyager dans le temps. Web m'explique rapidement son fonctionnement. Sur une paroi à l'intérieur du **FAUX RÉFRIGÉRATEUR** sans étagère ni vieux restes de pain de viande, on a fixé un simple écran de la grandeur de ma tablette électronique. Une application **« voyage dans le temps »** y est installée. Elle est beaucoup plus simple que les centaines de boutons, de manivelles et de leviers des machines du même type qu'on voit dans les films. Je n'ai qu'à suivre les directives!

Web précise:

— Ta mission n'a rien de bien compliqué. Tu dois retourner au **11 mai 1991** pour me rapporter un **ANIGOZANTHOS**. Prends garde de bouleverser l'espace-temps le moins possible! Si jamais tu rencontres un problème majeur, tu pourras te réfugier dans le quartier général de TAC de l'époque, qui se situe sous l'entrepôt de la pharmacie au coin de la rue Racine. Tu n'as qu'à appuyer sur le bouton au sol, près de la porte d'entrée, en prononçant le mot **« agrume »**. Un agent t'accueillera.

— Agrume. Compris. Et qu'est-ce que c'est, **UN ANIGOZANTHOS ?**

— À toi de le découvrir ! On t'attend dans **maximum cinq heures !** Cela dit… bonne chance !

Tout sourire, Web ferme la porte étanche. Eh bien ! Il est trop tard pour reculer…

VOYAGE AU TEMPS
DES DINOSAURES...
OU PRESQUE

Les mots suivants apparaissent sur l'écran du frigo temporel :

> OÙ VOUS
> ENVOIE-T-ON
> AUJOURD'HUI ?

Un calendrier s'affiche. Je touche du bout du doigt le 11 pour le jour, puis le mot « mai », et enfin l'année 1991. Puis, je fixe la carte du monde en me disant que

voyager dans le temps ne sera probablement pas de tout repos. S'il fallait en plus
que j'atterrisse au beau milieu du Vietnam,
je risquerais de ne **jamais revenir !**
À cette pensée, je me sens soudain un peu
nerveuse. **TRÈS NERVEUSE, EN FAIT !**

Puis-je vraiment faire confiance à cette
invention pour me ramener en un seul
morceau? On ne sait jamais, avec toutes
ces créations loin d'être parfaites, peut-
être y a-t-il un risque qu'un de mes sourcils reste en 1991! J'aurais l'air de quoi,
avec **UN SEUL SOURCIL ?**

Un peu de courage, Zélina! Tu es une
future agente secret, après tout!
Mon doigt encore tremblotant s'approche
de l'écran. J'agrandis la zone couvrant le

Québec, puis je vise mon école. **OUPS !** Je crois que j'ai manqué de précision. Ce n'est pas grave, je pourrai sûrement annuler et recommenc…

Je lis :

> # DESTINATION ACCEPTÉE

OH NON ! Le frigo s'ébroue autour de moi. La lumière s'éteint une seconde, puis se rallume. Le **TREMBLEMENT** cesse moins d'une minute plus tard. L'écran me souhaite maintenant **la bienvenue en 1991 !**

Soudain, quelque chose **GROUILLE** à mes pieds. Inquiète, je baisse les yeux et découvre que Wi-Fido m'a suivie jusqu'ici! Comme si j'avais besoin d'une source d'inquiétude à batterie par-dessus le marché! Je pourrais le laisser dans la machine, mais l'idiot serait bien capable de japper et d'attirer tout le quartier vers mon moyen de transport secret.

— Bon, bestiole. On dirait que je n'au-rai pas le choix de te traîner avec moi! Avec un peu de chance, tu finiras par **MANQUER D'ÉNERGIE!**

Tout à coup me vient une envie de débrancher un de ses fils pour le neutra-liser. Un tout petit fil de rien du tout… J'avance ma main vers le lien qui unit le moteur central au bloc d'alimentation.

Voilà qui devrait le faire taire pour un très, **TRÈS LONG MOMENT !** Mais on dirait que Wi-Fido comprend ce que je m'apprête à faire. Ses oreilles se penchent et son museau forme une moue attendrissante. On jurerait que ses yeux sont humides, pour ajouter à l'air de supplication !

— **ARGH ! TU M'ÉNERVES !** C'est d'accord, je ne t'éteins pas de force. Mais promets-moi d'être sage, je t'en supplie !

Je le glisse dans mon sac à dos. C'est un peu serré et sa tête reste à l'extérieur, mais si je laisse tomber le rabat du sac par-dessus son museau, il passera inaperçu.

Je prends une dernière grande inspiration avant d'ouvrir la porte du frigo. Une forte odeur de détergent et de… quelque chose que je préfère ne pas identifier me monte aussitôt au nez. Je regarde autour de moi : la pièce est minuscule et ne contient qu'une toilette et un lavabo. Jusqu'ici, le siècle dernier n'a rien de bien différent du présent !

Sans réfléchir davantage, j'ouvre enfin la porte de la pièce. Aussitôt, les rayons du soleil **M'AVEUGLENT**. Peu à peu, je recouvre la vue et je remarque devant moi un terrain désert. On dirait un stationnement en terre battue. Rien de menaçant à l'horizon ; je me risque à faire quelques pas. La porte du cabinet de toilette se referme derrière moi dans un **CLAQUEMENT SEC**. Je me retourne d'un bond. Je remarque alors un écriteau : **« Hors service »**. Au moins, je suis assurée que les visiteurs se feront rares près de ma précieuse machine.

Bon ! Zélina, réfléchis. Première étape : je dois trouver ce qu'est un anigozanthos. Je sors un instant mon **CHiEN-ROBOT** du sac et je fouille tout au fond, à la recherche d'un téléphone intelligent ou d'une tablette. Je sais, ce serait beaucoup trop facile. Non, je ne suis pas assez naïve pour croire que Web m'a donné un avantage de cette taille ! Mais peut-être que je me trompe… Et en effet, entre les cordages, les longues-vues, les étranges ventouses et autres accessoires dignes des **films d'espionnage** du siècle dernier se trouve un boîtier de plastique noir de la grosseur d'un coffret à lunettes, muni d'une antenne qu'on peut allonger suffisamment pour se gratter le milieu du dos.

Seul le clavier numérique sur ce boîtier prouve que l'outil a déjà servi à télépho-ner... **UN TRICÉRATOPS**, peut-être. Visiblement, ce téléphone est aussi intelligent et utile pour ma mission qu'une gomme à mâcher collée sous un pupitre. Je dois trouver un ordinateur. Un plan se dessine alors dans ma tête. Je ne suis pas loin de l'école. Et quel meilleur endroit qu'une école pour trouver un ordinateur ?

Je replace Wi-Fido dans sa cachette, puis je contourne le bâtiment dans lequel j'ai atterri. Je constate qu'il s'agit d'un dépanneur, devant lequel se trouve une station-service. Je poursuis ma route sans aller vérifier s'il est vrai qu'à cette époque, on peut acheter des bonbons à un sou, comme le prétend ma mère. **Un sou !**

Ça me paraît incroyable : le sou n'est même plus en circulation, à mon époque!

Plus j'avance, plus je reconnais les rues que j'emprunte. Toutefois, les maisons ont un peu changé. Tout me paraît un peu décalé, comme si je voyageais dans une **VILLE INCONNUE**, mais presque identique à la mienne. Les couleurs sont différentes, les voitures ont des silhouettes plus carrées, les vêtements des gens que je croise sont colorés et trop amples, leurs cheveux sont **ÉTRANGES**, beaucoup trop ébouriffés ou longs derrière et courts sur le dessus… J'ai l'impression de visiter un **UNIVERS PARALLÈLE**.

En complétant les derniers mètres qui me séparent de l'école, je décide que la meilleure stratégie pour y entrer est de passer par la fenêtre entrouverte du deuxième étage, qui donne sur un local du service de garde.

* * *

La meilleure stratégie? **VRAIMENT?** Une quinzaine de minutes plus tard, je suis d'un tout autre avis! Grâce à ce plan **« FANTASTIQUE »**, voilà que je me balance au bout d'une corde, quelque part entre le premier et le deuxième étage. Moi qui croyais que me hisser au deuxième palier d'un édifice pour me faufiler par une fenêtre entrouverte serait une tâche aussi simple que tartiner de beurre d'arachide ma rôtie du matin.

Mais en réalité, c'est comme tartiner de glu extra-collante le dos d'un crocodile

ENRAGÉ. Pourtant, ça avait bien commencé. Je me sentais confiante, me rappelant la mission du nettoyage de la **flaque de smoothie** au plafond, réussie haut la main ! Bon, plutôt haut le petit doigt, mais quand même : lancer un grappin pour qu'il s'accroche quelques mètres plus haut et grimper à la corde, ce n'était pas nouveau pour moi. Tout comme à l'agence, j'ai d'ailleurs réussi du premi... du **cinquième coup** à fixer le bout de mon câble à une corniche.

Sincèrement, je pourrais me débrouiller **BEAUCOUP MOINS BIEN** en ce moment ! Mes mains sont solidement cramponnées à la corde, avec laquelle j'ai formé une boucle. En y coinçant mon pied droit, je suis plus stable. Cependant, je sens que si je reste dans cette position, je lâcherai prise dans deux minutes et m'écraserai comme une **GROSSE CRÊPE** tout en bas. Ça, c'est si quelqu'un ne finit pas par remarquer ma présence. Ma subtilité n'est pas toujours au rendez-vous !

J'inspire profondément pour puiser dans mes dernières réserves de courage. Une poussée d'adrénaline me donne la force de me hisser un peu plus haut et d'attraper le cadre de la fenêtre du deuxième étage. **Super !** Je monte un peu plus et je jette un coup d'œil à la fenêtre. **QUOI ?** Ce n'est pas un local de service de garde, c'est maintenant **UNE CLASSE DE MATERNELLE !** À l'intérieur, les tout-petits jouent, bricolent et peignent. Impossible d'entrer par cette fenêtre…

La sueur perle dans mon dos et sur mon front, tant à cause de l'effort qu'en raison de ma nervosité et de l'immense veste de denim qu'on me fait porter. Comme si ce n'était pas assez, une voix venue d'en bas crie :

— HÉ ! NE SALIS PAS MES VITRES TOUTES PROPRES !

Malgré le sale pétrin dans lequel je me trouve, je dois me retenir pour ne pas éclater de rire. Ce gars voit une jeune suspendue à une corde au beau milieu du mur de l'école et la première chose à laquelle il pense, c'est aux **marques de doigts** qu'elle pourrait laisser sur la fenêtre ? L'homme se reprend :

— DESCENDS !

Je soupire et j'entame ma descente…
comme je peux. Je glisse et je parcours les
derniers mètres en chute libre. Dans une
classe, un élève **SURSAUTE**, se deman-
dant s'il a bien vu une fille tomber du
ciel. Peut-être qu'à mon retour dans le
présent, on racontera **la légende de
la fille volante…**

Alors que je masse ma fesse endolorie
par l'atterrissage, l'amateur de vitres
bien propres me rejoint, l'air plus en
COLÈRE qu'il n'en faut. Je présume que
c'est le concierge de l'époque, un homme
beaucoup plus vieux et beaucoup plus
moustachu que monsieur Denis, notre
concierge actuel.

— Peux-tu m'expliquer ce que tu faisais
là-haut?

— Je participe à un grand défi. Je grimpe sur les toits des différentes écoles de la région pour… amasser des dons pour…

Le concierge ne me laisse pas terminer ma phrase. Mon début d'histoire ne le convainc **PAS DU TOUT**. Il me fait signe de le suivre. La tête basse, j'entre dans l'école. Le moustachu me montre la chaise à l'entrée du secrétariat. Comme la secrétaire n'est pas à son bureau, le concierge **GROGNE** :

— Bouge pas, je reviens.

J'ai toujours été une élève obéissante… mais en 1991, tout est différent. J'attends donc que l'homme en colère disparaisse de ma vue pour me glisser dans le corridor. Je dévale l'escalier. La bibliothèque se trouve tout près, juste à gauche. J'ouvre la porte et je me retrouve… dans une classe! L'enseignante **SURSAUTE** et me regarde, les yeux ronds, dans l'attente de quelque explication. Je bafouille des excuses et je referme la porte en vitesse. Je poursuis ma route.

Je suis presque au bout du corridor et je n'ai toujours pas localisé la bibliothèque! **VITE**, avant que le concierge passe par ici! En désespoir de cause, je pousse la porte du salon du personnel… et je tombe plutôt sur la pièce que je cherchais! **Génial!** Eh bien… elle était minuscule et beaucoup moins garnie, la bibliothèque de l'époque.

Première victoire de la journée: je n'y vois personne. Et en prime, dans le coin de la pièce se trouve un... **OH LÀ!** C'est beige, c'est gros, ça a un écran (ou quelque chose qui y ressemble vaguement). Est-ce bien un ordinateur? **Bah!** ça ne peut quand même pas être une machine à barbe à papa! Et ça ne peut pas être **SI différent** de ce que je connais... Il suffit de l'ouvrir et je trouverai bien comment le faire fonctionner. Comme d'habitude, je n'aurai qu'à me laisser guider par mon instinct.

J'appuie sur le bouton au bas de l'écran. Une petite lumière s'allume, mais l'ordinateur ne réagit pas. J'essaie de nouveau en grognant: **«FONCTiONNE, SAPRiSTiiii!»**

— Qu'est-ce que tu fais?

Est-ce la voix d'un ennemi? **HUM...** avec une voix si douce, j'en doute. Toutefois, je suis certaine que dans le grand guide de l'agence figure la leçon: «Ne faire confiance à personne». Même pas à cette fille d'à peu près neuf ans, **ARMÉE D'UN GROS LIVRE**. D'un autre côté, je sens qu'une alliée ne ferait pas de tort à ma mission.

— Je voulais aller sur Internet.

— Sur quoi?

— Internet.

— **INTERPET?**

— **INTERNET.**

Sur le coup, j'ai l'impression qu'elle se moque de moi. Je n'ai vraiment **PAS DE TEMPS À PERDRE** avec ses bouffonneries! Je remarque qu'elle aurait eu le même air déboussolé si j'avais répondu que je voulais manger un pâté au citron et aux cornichons en me tenant la tête en bas au-dessus d'un lac de lave. Je pose une question plus simple :

— Est-ce que tu sais comment le mettre en marche?

La fille se penche. Je n'avais pas remarqué l'autre grosse boîte beige, posée sur le sol. J'aurais dû y penser : nos ordinateurs ont aussi souvent un écran et une tour! Mais je ne pouvais pas imaginer que cette **ÉNORME BOÎTE** sur la table n'était qu'un écran!

La machine ronronne tellement fort que je crains de la voir **EXPLOSER**. Mais non. Une éternité plus tard, de drôles d'écritures vertes apparaissent sur l'écran tout noir. Je me sens aussi dépassée que monsieur Gendron, le directeur, quand il fait une simple recherche dans Google.

Je questionne mon alliée du moment :

— Est-ce qu'il y a un appareil **plus intelligent** que je pourrais utiliser ?

Le visage de la fille s'éclaire d'un coup. Elle lève son bras, pointe du doigt sa montre-bracelet et lance fièrement :

— J'ai une **montre calculatrice !**

MISÈRE ! Je ne l'avouerai pas à Web et surtout pas à Hubert, mais je commence à croire que je suis en voie de faire échouer cette mission…

LA COURSE AUX PATTES
DE KANGOUROU

Apparemment, me servir de la technologie ne sera pas une solution cette fois-ci! Comment s'y prenaient les hommes de Cro-Magnon pour trouver des réponses à leurs questions? Soudain, **l'énorme livre** dans les bras de la fille me donne une idée. Je doute toutefois qu'il y ait de la documentation sur les anigozanthos dans cette bibliothèque dégarnie. **Oh!** La librairie du quartier se trouve tout près! **Je suis fière de moi!** Je sens que je commence à penser comme un dinosaure... **EUH...** comme une jeune des années 1990.

Soudain, des pas viennent vers la bibliothèque. C'est le concierge, j'en suis certaine ! Je me rue derrière une étagère. Sans savoir pourquoi, l'autre élève en fait autant. Je lui fais signe de se taire. J'entends par la porte entrouverte la respiration bruyante de l'homme, qui s'approche de plus en plus. Je ne remue plus d'un demi-cheveu. Soudain, un **BANG** retentit à mes côtés. La fille a échappé son dictionnaire ! **NON !** Ça y est, je suis cuite ! Qui sait où le concierge finira par m'envoyer ? Si je n'atteins pas très bientôt le frigo temporel dans la toilette du dépanneur, combien de temps vais-je rester coincée dans l'ancien temps ?

Mon alliée se lève et avance d'un pas. Le concierge demande :

— As-tu vu une fille ? Avec un air coupable et une drôle de coupe de cheveux ?

Drôle de coupe de cheveux ? Comment ça, **DRÔLE DE COUPE DE CHEVEUX ?** Avec tout ce que j'ai vu dans les dernières heures, je le trouve **EFFRONTÉ** de juger ma coiffure !

— Non, je suis toute seule.

— Si tu la vois, tu avertis un adulte, d'accord ? Elle pourrait être **DANGEREUSE**.

Je sens que mon acolyte hésite une fraction de seconde. Est-ce qu'elle sera effrayée par cette réputation de **VOYOU** que le concierge me colle ? Est-ce qu'elle va me trahir ? Elle n'oserait pas, non…

À cet instant, j'apprends que je ne peux vraiment faire confiance à personne, puisque je la vois pointer un doigt dans ma direction.

Une forte dose d'adrénaline envahit tout mon corps. Je me relève comme si j'avais été couchée sur un ressort, je saisis mon sac à dos et, à une telle vitesse que le concierge n'a pas le temps de réagir, je le contourne et j'atteins la porte la plus près. Une fois à l'extérieur de l'école, je ne peux pas m'arrêter pour respirer un grand coup. Pas tout de suite. C'est certain que j'ai le concierge **à mes trousses !**

Je file plus vite que mon ancien prof d'éducation physique. Mais pour aller où? Est-ce que je me rends directement à la librairie pour poursuivre ma **mission** ou est-ce que je me réfugie à l'ancienne agence, le temps d'écarter tout risque?

Il me semble plus sage de me diriger vers la pharmacie qui abritait jadis le **quartier général de TAC**. À bout de souffle et les jambes en chiffon, je regarde tout autour de moi et je ralentis, ayant constaté que personne ne me suivait. Je sens mon sac à dos peser de plus en plus lourd sur mes épaules. Après une seconde d'hésitation, je laisse Wi-Fido marcher à mes côtés, le temps que je retrouve un peu d'énergie. Il est tout heureux d'être libre et trotte un peu, gardant une distance de moins d'un mètre entre lui et moi. Il n'est pas fou : il doit sentir que je pourrais avoir envie de l'abandonner…

Je localise facilement la pharmacie. J'entre dans le stationnement, où se tient une femme d'une cinquantaine d'années. Aussitôt, mon instinct la classe dans la catégorie **«LOUCHE»**. Elle n'a pas l'air intéressé à entrer dans le commerce, mais elle est beaucoup trop vieille pour être une agente! Je ne peux m'empêcher de m'approcher, curieuse de comprendre ce qu'elle fait là.

Elle me toise aussi de la tête aux pieds, comme si elle cherchait quelque chose qui cloche dans mon allure. Une chance que Web m'a fourni ce déguisement. J'aurais eu l'air beaucoup **TROP BIZARRE**, accoutrée de mes propres vêtements! Ses yeux s'arrondissent quand ils se posent sur mes souliers. Qu'ont-ils, mes souliers? **OH NON!** C'est plutôt Wi-Fido, qu'elle vient d'apercevoir! **ZUT!**

Mon cœur se met à battre la chamade. Mon front se perle de sueur. Elle remarque mon trouble, puisqu'elle chuchote :

— Est-ce que tu aimes les agrumes ?

AGRUME ! Le mot de code de l'agence ! Pourtant, elle est trop vieille pour être une agente… Je ne sais pas comment réagir. Puis-je lui faire confiance ? Tous mes neurones me crient non. Je recule doucement. Puis, je me retourne et je fuis au pas de course.

Toutes les missions de TAC sont-elles **AUSSI ÉPUISANTES ?** Je n'en peux plus ! Incapable de courir plus longtemps, je m'effondre adossée à une haute haie. Wi-Fido, qui a gambadé à mes côtés, vient se coucher sur moi. Si je le pouvais, je me cacherais dans le sac et je laisserais la bestiole me porter. Malheureusement, c'est impossible. Je soupire donc et je remets le chien dans ma besace.

Je marche lentement jusqu'à la librairie. **Super!** Elle est bien là où elle se trouve toujours dans mon présent à moi. La devanture est très différente de celle de mon époque; elle me semble beaucoup plus colorée. Peu importe, je suis soulagée qu'enfin, un de mes plans fonctionne du premier coup!

J'entre dans le commerce et je suis aussitôt enivrée par une odeur de maïs soufflé. J'ai du mal à croire ce que je sens! Pourtant, monsieur Parent, le libraire, perd son calme quand on approche des livres avec les mains moins propres que celles d'un chirurgien. Comment peut-il offrir dans sa librairie une collation qui laisse les **DOiGTS BiEN GRAS ?** Pas de temps pour ce genre de question (ni pour la gourmandise, malheureusement) ! Je repère rapidement la section **« Documentaires »**. Enfin ! Je devrais y trouver une encyclopédie.

Je regarde plus attentivement les volumes devant moi. Mais… ce ne sont pas des livres ! Dans un boîtier de plastique rectangulaire se trouve un objet qui remplit complètement son emballage. Il est noir, avec deux espèces de roulettes blanches au milieu. J'ai beau fouiller dans mes souvenirs, je ne me rappelle pas avoir déjà vu un bidule pareil. À quoi est-ce que ça peut servir ?

Je regarde tout autour, à la recherche d'indices. J'aperçois alors des affiches que je n'avais pas remarquées plus tôt. J'éclate de rire en lisant sur une d'elles : *Retour vers le futur 2*. J'ai déjà vu ce très, **très vieux film !**

Des films ! Je ne suis pas dans une librairie, mais dans un **club vidéo !** Enfin, c'est ce qui est écrit près de l'entrée. Je remarque alors le commis aux cheveux longs, à la barbiche en forme de beigne et aux petites lunettes rondes. Il fixe un écran de télévision aussi intensément que si sa vie en dépendait. Un club vidéo, donc. Je crois qu'il en existe encore chez nous, mais ils sont rares et on peut y emprunter des DVD et des disques Blu-ray, pas ces **GROS MACHiNS RECTANGULAiRES !**

Malheureusement, mon problème n'est toujours pas réglé. Je soupire et je laisse échapper d'un ton découragé :

— Je ne saurai jamais ce que c'est, des **ANIGOZANTHOS** !

— C'est des pattes de kangourou.

Je lève la tête. La réponse venait du gars à l'entrée, qui n'a toujours pas quitté des yeux son écran. Il finit par jeter un regard dans ma direction. Il ajoute :

— C'est une espèce de plante. J'ai vu un documentaire là-dessus, l'autre jour. On appelle ça aussi des…

— Pattes de kangourou ?…

— C'est ça.

L'autre jour, j'ai entendu Julienne rappeler à un agent : « Tout n'est jamais foutu tant que tu ne te trouves pas coincé dans une cage remplie de **LIONS AFFAMÉS**. Et même là, peut-être qu'en chantant une berceuse… » Soudain, je comprends ce qu'elle voulait dire !

8

ÉVITER LE PIRE

Le commis du club vidéo note sur un bout de papier où je peux trouver le fleuriste le plus près. J'étudie les **GRIBOUILLIS** et je reconnais vite l'endroit. Aujourd'hui, il s'agit d'un restaurant souvent rempli d'hommes un peu louches, qui y sirotent des cafés toute la journée. Enfin, c'est ce que mon père m'a expliqué, le jour où j'étais attirée par leur publicité d'ailes de poulet. C'est drôle de penser qu'il y a près de trente ans, ce lieu douteux était **rempli de fleurs !**

Je m'y rends au pas de course. Une fois dans la boutique, je reprends mon souffle.

Tout en chantonnant, le fleuriste prépare un bouquet pour une vieille femme.

— Et voilà, ma chère dame! Passez la plus belle des journées!

Il me remarque et demande:

— Bonjour, mademoiselle! Qu'est-ce que je peux faire pour toi?

Je n'arrive pas à lui répondre. Je suis trop occupée à me demander où j'ai vu ce visage auparavant. C'est **FRUSTRANT** de ne pas m'en souvenir instantanément! On dirait que le siècle dernier rend ma mémoire plus lente, comme si mon disque dur était surchargé. L'homme me toise avec de plus en plus d'insistance. Je finis par bafouiller:

— **DES ANIGOZANTHOS.**

— **Oh !** Des pattes de kangourou ! J'ai affaire à une connaisseuse !

Mon sentiment de **déjà-vu** persiste. Le drôle de chatouillis dans ma poitrine et le petit vent glacé le long de ma colonne ne veulent pas me quitter. Cet homme n'a **PAS L'AIR MÉCHANT DU TOUT !** En tout cas, je l'espère, parce que je n'ai absolument rien sous la main pour me défendre. Web n'a pas prévu de bombe fumigène, ni même de lance-pierre pour m'aider à me sortir du **PÉTRIN.** C'est bien logique : rapporter une fleur dans le présent n'avait rien de dangereux en soi !

Respire, Zélina. C'est certainement la fatigue qui commence à faire des siennes et qui joue avec ma tête. Le gentil fleuriste ne devine pas mon trouble. Il se dirige vers un compartiment réfrigéré dans lequel sont entreposées des fleurs à l'apparence exotique, fait coulisser un peu trop brusquement la porte vitrée pour l'ouvrir. Le mouvement fait vaciller le réfrigérateur à végétaux, ce qui provoque la chute d'un cactus long et orangé qu'on avait posé au-dessus du frigo. **OH NON!** Tout en criant **«ATTENTION!»**, je me projette sur le fleuriste, empoigne la manche de sa chemise verte et le tire vers moi.

Le pot de la plante à épines se fracasse au sol. La terre se répand jusqu'à nos souliers. Le fleuriste tourne lentement la tête vers moi. Il a les yeux ronds et le teint blanc de celui qui aurait vu un fantôme. Ou un clown vengeur. Ou un **FANTÔME DE CLOWN VENGEUR**. Je présume que ce cactus valait une fortune et que c'est une grande perte pour le pauvre commerçant. Même si je n'y suis pour rien, je bafouille :

— **JE SUIS DÉSOLÉE !**

Il reprend une partie de ses esprits pour dire :

— Non... ne sois pas désolée ! **Tu viens de me sauver !**

Oui, en effet, si le pot lui était tombé sur la tête, j'imagine qu'il ne s'en serait pas sorti sans commotion cérébrale. Mais ce n'est pas tout...

— J'avais placé cette plante là-haut en attendant qu'un spécialiste m'en débarrasse. On me l'a livrée **PAR ERREUR**. Si les épines m'avaient piqué, l'effet aurait été **CATASTROPHIQUE !** Le dernier qui a été piqué par ce monstre est devenu **COMPLÈTEMENT FOU**. C'était comme si la plante avait aspiré toute la bonté qu'il avait en lui. Il croupit encore en prison à l'heure qu'il est, le pauvre…

Quelle histoire ! Pour me remercier, l'homme refuse que je paie mes fleurs. Je suis très contente d'avoir accompli cette **bonne action**, mais surtout de pouvoir enfin retourner dans le présent. Ou plutôt dans le futur du passé…

Je ne l'avouerai pas à Web, mais en bout de ligne, c'est vrai que les choses sont beaucoup plus simples, au XXIe siècle !

* * *

Malgré quelques détours, je regagne assez aisément la station-service et le dépanneur où, je l'espère, se trouve encore le frigo temporel. Mon cœur se met **À BATTRE** au rythme d'une musique endiablée. Et si quelqu'un avait découvert ma cachette et déplacé la machine? Ou pire, l'avait détruite? Ou pire encore, s'était sauvé avec elle dans une année inconnue? Je pose la main sur la poignée de la salle de bain, mais elle refuse de tourner.

Les risques sont faibles qu'un intrus s'y soit introduit pendant mon absence, mais maintenant, comment puis-je y entrer? Si je demande la clé au commis, il répondra que la toilette est **hors service**. «Oui, mais j'y ai laissé ma machine à voyager dans le temps» ne lui semblera pas une excuse valable…

Comment feraient les agents dinosaures? J'imagine qu'ils crochèteraient la serrure… Je fouille dans le sac et je mets justement la main sur de petits instruments semblables à des tournevis. **Génial!** Web a vraiment pensé à tout… sauf à me former sur le maniement de ce genre d'outils. C'était beaucoup **plus important** de me faire construire une structure en cure-dents! **TSS!** Dans le présent, l'agence dispose d'une petite machine de la taille d'un téléphone cellulaire, qui peut venir à bout de **n'importe quelle serrure** grâce à une force magnétique.

Évidemment, ce dispositif n'a pas fait le voyage avec moi. J'ouvre tout de même le boîtier. Un bout de feuille lignée tombe au sol. Je le ramasse et le déplie. « Consignes et conseils pour crocheter une serrure. » Je reconnais aussitôt **l'écriture de ma mère !** Je ne connais personne d'autre qui trace ses « s » en les faisant dépasser en bas, à la manière d'un « f ». Elle a dû écrire ces mots il y a plus de vingt ans... **incroyable !**

Je souris. J'ai l'impression que maman est juste à côté de moi et je me sens rassurée par ses recommandations. Et grâce à elle, j'arrive à ouvrir la porte après quelques tentatives. Quel soulagement : le frigo est là, prêt à me ramener à l'agence, à la bonne époque ! Enfin... **je l'espère.**

MISSION RÉUSSIE ?

Dès que la machine cesse de vibrer comme une **VIEILLE SÉCHEUSE**, je prends une seconde pour retrouver mes esprits. J'ai été si crispée, durant le voyage, que les anigozanthos au creux de ma main sont mous et **TORDUS** comme de vieux lacets abandonnés sous une pile de chaussures. Web m'a demandé des anigozanthos, je lui apporte des anigozanthos ; il n'a jamais exigé que les plantes soient **parfaitement fraîches...**

J'ouvre la porte et j'ai l'immense surprise de constater que tous les membres de l'équipe de l'agence m'attendaient !

Chacun d'eux affiche un drôle de visage, un air que je suis incapable de traduire. **OH, OH!** Est-ce que j'aurais fait une **GAFFE IRRÉPARABLE** dans le passé? Si tel est le cas, ils ne me laisseront jamais intégrer l'agence! Mais s'ils me chassent... que feront-ils de moi? Ils ne me diront quand même pas de reprendre simplement ma vie normale, non? Possèdent-ils une invention pour **EFFACER LA MÉMOIRE?** Pourrait-on vraiment faire confiance à leur technologie parfois douteuse? En m'effaçant la mémoire, peut-être abîmeront-ils dans ma tête quelques morceaux au passage: «**OUPS!** Julienne, tu as aussi effacé sa capacité à se brosser les dents! Bah, c'est quand même moins pire que la pauvre fille qui avait oublié l'existence de **la lettre E** par notre faute!»

La sueur couvre de nouveau mon front et mon dos. Une seconde plus tard, tous les agents se mettent à applaudir ! Je devrais être rassurée, mais comme je ne comprends **absolument pas** quel exploit je viens de réaliser, étrangement, je suis encore plus inquiète.

Web se détache du groupe et avance vers moi. Son sourire est si vaste que son visage semble avoir doublé de largeur. Je lui tends les anigozanthos.

— Laisse tomber ces fleurs **RIDICULES**, Zélina !

— Ces fleurs ridicules ? Mais c'était le but de la mission, non ?

— **BAH !** J'aurais tout aussi bien pu te demander des auchenorrhyncha ou de l'hydrogénocarbonate de sodium : je voulais simplement que tu te débrouilles pour mettre la main sur quelque chose que tu ne connais pas sans avoir recours à Internet.

Ah ! C'était donc ça, **le but réel** de la mission ! Mais je ne comprends toujours pas pourquoi il est tellement fier de moi. Ça devient plus clair alors qu'il me dit :

— Tommy s'est rendu compte qu'Isidore MacVoyou avait **BRUSQUEMENT** disparu de la liste des méchants. On s'est douté que quelque chose avait changé dans le passé, ce qui nous a amenés à fouiller pour retrouver sa trace dans le présent. En voyant que MacVoyou était à présent un fleuriste sans casier judiciaire, on a tout de suite compris que ça avait à voir avec ton intrusion dans le passé !

Le fleuriste ! C'était donc **ISIDORE MACVOYOU ?** Je comprends maintenant pourquoi son visage me disait quelque chose et pourquoi à sa vue, mon instinct s'était mis sur ses gardes. Mon cœur se **gonfle de fierté**. Et toute l'équipe semble fière de moi.

Après quoi, tout le monde retourne au travail. Web et Julienne me font asseoir dans le bureau du patron pour que je leur **raconte mon aventure**, dont l'accident que j'ai évité à l'ancien méchant Isidore. Même si mon compte rendu reste très vague (et même très, très vague), Web se rend compte que je n'ai pas tout fait à la perfection. Il me dit :

— Il faudra revoir plusieurs de tes façons de faire, jeune fille. Tu as encore beaucoup à apprendre ! Mais nous t'annonçons que...

Il marque une pause beaucoup trop longue, et prend une pose franchement **RIDICULE**, les bras tendus vers Julienne. Un malaise s'installe avant que la brigadière finisse par compléter sa phrase :

— Nous t'intégrons officiellement à l'agence TAC !

Web ajoute :

— Nous avions l'intention de te confier encore une mission d'entraînement : enseigner à la grand-mère de Benjamin à envoyer un courriel avec pièce jointe. Mais vu l'exploit que tu viens d'accomplir, nous jugeons que ce ne sera pas nécessaire.

Je suis **si heureuse** que je pourrais danser des claquettes sur place. Je me contente de sourire d'une oreille à l'autre.

* * *

Je retourne dans mes vêtements à la mode d'aujourd'hui, et je quitte l'agence vers dix-huit heures. À ce moment, les environs de l'école sont plus calmes et nous risquons moins de nous faire surprendre par des élèves. Comme chaque fois que je sors, je vérifie d'abord que la cour est puis je me glisse dehors à la suite aud et de Nathan.

Sur le chemin du retour, j'aperçois à l'horizon **DEUX SILHOUETTES** que je connais bien : celles de Félix et d'Élora. Je suis soudain submergée par un mélange d'émotions. Je suis vraiment heureuse de les voir, j'ai l'impression de ne pas les avoir croisés depuis des années ! Une fois de plus, mon estomac se serre à l'idée de leur mentir.

Élora se retourne et me voit. Elle bondit dans mes bras.

— Je t'ai téléphonée hier, mais tu étais partie.

— Oui, je… j'avais un atelier de…

La première chose qui me vient en tête, c'est **« UN ATELIER DE GAZOU »**. Je crois que mes excentriques patrons commencent à déteindre sur moi ! Heureusement, Félix, qui nous a rejointes, ne me laisse pas terminer mon mensonge.

— **Hé, Zel !** D'où est-ce que tu arrives ?

De n'importe où sauf un atelier de gazou.

— Je suis allée acheter une pièce pour mon projet de robotique.

En me rappelant que j'ai les mains vides, j'ajoute très vite :

— Mais ils n'avaient pas ce que je cherchais. **Et vous ?**

— On attend le père de Fabrice, qui va nous emmener au cinéma. Veux-tu venir avec nous?

J'en meurs d'envie, mais ma mission du jour m'a **ÉPUISÉE**. Je décline leur offre. Je remarque alors que la main de Félix se glisse doucement dans celle d'Élora. **TiENS, TiENS...** on dirait qu'il s'est passé beaucoup de choses de leur côté aussi! Élora me dit:

— Est-ce qu'on pourra bientôt voir où en est ton projet?

— Bien sûr!

— Demain, peut-être?

— **B... BIEN... SÛR.**

— **Super !** À demain, Zélina !

— Bye !

Bravo, championne ! Comment pourrai-je leur présenter un projet qui **N'EXISTE PAS ?** À peine suis-je sortie du pétrin des années 1990 que je m'y replonge. Je devrai trouver une solution… mais avant, je crois que j'ai besoin d'une bonne douche et d'une longue nuit de sommeil.

Wi-FiDO À LA RESCOUSSE

Le réveil sonne à six heures tapantes. Jamais je ne me suis levée aussi tôt un samedi matin. Et encore moins **par CHOIX!** Ma mère est tellement étonnée de me voir m'asseoir à la table de la cuisine qu'elle en recrache une gorgée de jus d'orange. En fixant mon visage à demi caché par le capuchon de ma veste turquoise, elle **RICANE** et s'exclame:

— Pas facile, la vie d'agent TAC, **HEIN?** Mais tu vas t'y faire et devenir une grande agente, j'en suis convaincue!

Je lui réponds par un sourire qui doit ressembler vaguement à une grimace. Impossible d'être plus convaincante que ça avant huit heures du matin. J'avale un bol de céréales au son. Je les **DÉTESTE**, mais ce détail ne me revient en mémoire qu'à la dernière bouchée.

Je file ensuite jusqu'à l'école. Je sais maintenant que je dois passer par la porte six en dehors des heures de classe. Web m'a donné une **puce spéciale** qui permet de l'ouvrir. En tombant au bas du toboggan, je suis surprise de constater qu'une dizaine d'agents sont au travail. Trois d'entre eux sont penchés devant un même écran. Cette fois-ci, je n'ai pas le temps de leur donner un coup de pouce, mais ce n'est que partie remise.

Je me dirige vers l'atelier. Je fouille les tablettes à la recherche d'une création que j'aurais pu fabriquer moi-même et qui épaterait suffisamment mes amis. Je soupire, déçue de ce que je déniche. Ce serait vraiment mieux si j'allais à la pêche à l'invention dans le **labo Kiwi**. Mais Web n'accepterait **JAMAIS** de me laisser sortir de l'agence avec une de ces technologies!

Soudain, je sens quelque chose buter contre mon mollet. Je baisse les yeux et j'aperçois Wi-Fido, le **STUPIDE** chien-robot. Il mordille le bas de mon pantalon et remue de la queue dès que je pose le regard sur lui. Il semble me dire: «Choisis-moi! Je suis parfait!» **MOURIS... NON**. Je peux sûrement trouver mieux. Toutefois, plus je fouille, moins j'en suis convaincue. Comme je veux **absolument** être de retour à la maison quand mes amis communiqueront avec moi, je finis par céder.

— OK. Viens, cabot.

J'imagine que tous les agents seront heureux d'être débarrassés du **FAUX CHIEN** pendant quelques heures. Je juge donc inutile d'avertir qui que ce soit de cet emprunt. Je sors en vitesse, tenant le chien **GIGOTANT** comme une anguille sous mon bras.

* * *

Quelques heures plus tard, Élora et Félix entrent dans ma chambre. Pour rendre mon subterfuge plus crédible, j'ai sorti tous les outils possibles et j'ai réuni tous les fils et les bouts de métal que j'ai pu dénicher dans la maison. Au pied de mon lit, Wi-Fido somnole. Puis, en entendant les nouveaux arrivants, il se lève d'un **BOND**, pressé de faire connaissance avec mes copains.

Élora le remarque la première. Elle s'écrie :

— **Wow !** Tu as construit **ÇA ?**

— Oui… enfin… il n'est pas exactement au point, encore.

— **Mais il est tellement mignon !**

Mon amie se penche vers la petite bête à batterie. Elle ordonne :

— Assis !

Wi-Fido s'exécute aussitôt. Elle enchaîne :

— Donne la patte !

— Ça, oublie ça ! Il ne veut rien entendre…

À cet instant, la **PETITE CRÉATURE DÉMONIAQUE** se tortille. Va-t-il vraiment obéir à Élora ? Je n'arrive pas à y croire ! Le voilà qui bouge sa patte d'un millimètre… puis décide de se recoucher.

UN DUO IMPROBABLE

Depuis cette visite de Wi-Fido chez moi, aussi peu plausible que ça puisse paraître, on dirait que ce **STUPIDE ROBOT** m'aime encore plus! À chacun de mes retours à l'agence, dès que mes fesses atteignent le coussin au bas du toboggan, l'animal à batterie me talonne comme un lion me suivrait si j'avais un steak dans la poche.

Malgré cette présence encombrante, je parviens à faire de plus en plus ma place au sein de l'agence. Je réussis très bien dans les divers cours, sauf peut-être en création de murales. Je me suis retenue d'essayer de réaliser un **dragon qui**

crache du feu, mais apparemment, je n'ai pas davantage de talent pour reproduire des hérissons…

Aussi, plus Julienne et Web me confient de responsabilités, plus je me prouve **digne de confiance**. Non, je n'ai pas autant d'expérience, de connaissances ou d'entraînement que les autres, mais j'ai vite trouvé une façon de compenser mes lacunes : lorsque Julienne m'a remis un téléphone cellulaire extra-performant, comme en possèdent tous les agents de TAC, je me suis empressée d'y faire quelques ajouts de mon cru… Ça aura pris quelques nuits blanches et au moins vingt heures de travail supplémentaire au quartier général, mais mon appareil est maintenant **plus performant** que tous les autres. Il peut :

☑ **traduire** n'importe quel texte dans n'importe quelle langue ;

☑ détecter les **systèmes d'alarmes** et déjouer la plupart d'entre eux ;

☑ **contrôler à distance** presque n'importe quel appareil lié à un réseau ;

☑ être utilisé comme **pince** et comme **tournevis** ;

☑ Créer des **bonnes excuses** (cette fonction n'est pas encore au point…) ;

☑ et bien plus encore !

Mon téléphone est tellement fantastique qu'il mériterait une capsule d'info-publicité : **« Commandez-le dès maintenant et obtenez aussi l'étui aux couleurs rétro, conçu avec le porte-monnaie trouvé dans le sac à dos de ma mission en 1991 ! »** On dirait que mes succès ne font toutefois pas l'affaire de tous ! Chaque fois que Web, Julienne, Benjamin ou quelqu'un d'autre me félicite pour un de mes bons coups, je remarque qu'Hubert, lui, **ROULE DES YEUX**.

C'est pourquoi en ce samedi après-midi, quand Julienne m'annonce que je devrai travailler avec Hubert à la prochaine mission, je suis **INCAPABLE** de réprimer une **GRIMACE**. Je sais qu'il me prendra pour **UNE IMBÉCILE** et qu'il voudra tout faire **lui-même !** Et je suis certaine qu'il n'est pas tellement enchanté de cette nouvelle, lui non plus. Mais il est meilleur comédien que moi. Ou peut-être se dit-il qu'en mission en ma compagnie, il pourra remarquer chacune de mes failles et les étaler au grand jour pour me faire **PERDRE LA FACE !** Oui, j'ai l'impression que ce serait son genre... Si au moins je savais pourquoi il m'a élue comme son ennemie numéro un !

— Que diriez-vous, tous les deux, d'aller faire un tour au cinéma ? propose Julienne.

Hubert me lance un regard en coin. Cette fois-ci, sa moue est **évidente**. Je pourrais m'en offusquer, mais je fais intérieurement la même moue. Devant notre réaction, Julienne éclate de rire.

— Ce n'est pas une **sortie galante**, que je vous propose, Grand Céleri et Choucroute! C'est une mission qui n'exige pas plus de deux agents. Rien de bien compliqué pour deux petits génies comme vous! Une de nos agences alliées nous a informés qu'un camion de restauration fait le tour des cinémas pour vendre des **SANDWICHS AU JAMBON DÉGOÛTANTS**. Sans mayo, imaginez! Personnellement, quand on n'ajoute pas de moutarde jaune, je suis toujours un peu déçue… Mais là n'est pas le problème! Ces faux chefs cuisiniers sont capables d'introduire une image subliminale de sandwich pendant le générique de début du film *Giganator III*. Cette image provoque une très forte envie chez les spectateurs. Dès la fin de la représentation, ils n'ont qu'une seule idée en tête : se procurer un de ces sandwichs, et **À N'iMPORTE QUEL PRiX !** Ils se ruinent pour quelques tranches de jambon bon marché, imaginez… Comme les **ARNAQUEURS** changent constamment de cinéma, ils ne se font jamais prendre. Une autre agence a tout prévu pour les coincer la semaine prochaine à Toronto. Vous n'aurez donc pas à arrêter les bandits. Votre mission est plus simple : déprogrammer **l'image subliminale** pour qu'aucun cinéphile ne tombe dans **CE PIÈGE**.

Hubert semble déçu. Et pour une fois, je suis d'accord avec lui : cette mission s'annonce **UN PEU ENNUYEUSE**. Mais même les missions les plus simples sont parfois parsemées d'embûches…

Le temps presse! La représentation de *Giganator III* aura lieu dans un peu plus d'une heure trente. En vitesse, nous mettons dans nos sacs les outils dont nous croyons avoir besoin, puis nous montons en voiture avec... **AH NON! PAUL!** Cet ado de seize ans vient tout juste d'obtenir son permis de conduire. D'ailleurs, je soupçonne les patrons de l'agence d'avoir manigancé en sa faveur.

Pendant la vingtaine de minutes que dure le trajet, Hubert et moi tentons d'étudier, dans l'encyclopédie numérique de l'agence, les systèmes de projection numérique des cinémas modernes. Grâce à mon téléphone aux **mille fonctions**, je déniche aussi le plan du cinéma, qui nous permettra de nous diriger plus facilement vers la salle de projection. Mais nous concentrer n'est pas une mince tâche, à travers les virages serrés, les arrêts brusques, les coups de klaxon des autres conducteurs et les trous dans la chaussée. Alors que sa tête cogne une fois de plus contre la vitre, Hubert s'exclame :

— Sérieusement, Paul, je pense qu'un chien centenaire conduirait **MIEUX QUE TOI !**

Je renchéris :

— Oui ! La prochaine fois, on demandera à Wi-Fido de tenir le volant !

Comme par magie, la bête mécanique bondit sur mes genoux.

— **ARGH !** Tu m'as encore suivie ? Je suis à deux cheveux de te lancer par la fenêtre !

La queue du faux cabot danse la salsa. Il a compris depuis longtemps que malgré toutes mes menaces, j'ai fini par m'attacher à lui… Mais cette fois-ci, il restera dans la voiture. **PAS QUESTION** que je m'encombre de cette petite peste ! J'ai bien assez d'Hubert !

Juste avant de pénétrer dans le stationnement du cinéma, nous finissons de tracer les grandes lignes d'un plan. Sans grande surprise, Hubert se donne le premier rôle. J'ai beau m'obstiner, il tient son bout. Comme le temps presse, je finis par plier, en me promettant de trouver de meilleurs arguments la prochaine fois.

En marmonnant ce que j'espère être des **SORTS MALÉFIQUES** qui transformeront mon collègue en pantoufle, j'accroche un minuscule micro au collet de mon chandail et un récepteur tout aussi miniature au creux de mon oreille.

Paul nous dépose devant la porte principale. J'aperçois, garé quelques mètres plus loin, le camion de sandwichs de **NOS ENNEMIS DU MOMENT**. Rares sont les criminels qui aiment à ce point se faire remarquer ; leur véhicule est vert lime, avec la réplique d'un **sandwich géant** plantée sur le toit. La fenêtre de côté qui sert à accueillir les clients est fermée pour l'instant. J'imagine qu'ils ne s'attendent pas à avoir des visiteurs avant la fin de la représentation de *Giganator III*.

Sur les deux sièges avant, deux hommes discutent. Ils ont **L'AIR NERVEUX** de ceux qui ont quelque chose à se reprocher. J'entends le soupir d'Hubert traverser l'habitacle. Il aurait envie de les arrêter tout de suite dans un geste héroïque, je suppose. C'est son genre, à Hubert : il veut tout faire tout de suite, et idéalement **tout seul**.

Pourrons-nous nous entendre pour la durée de cette mission en duo ? Nous le saurons **bien assez vite !**

DES SANDWICHS ?
PLUS JAMAIS !

Mon acolyte et moi suivons notre plan **(enfin... SON plan)** sans tarder. Nous passons à la borne pour récupérer les billets que Julienne a achetés pour nous. À notre grande surprise, ce ne sont pas des entrées pour *Giganator III*, que le système imprime, mais plutôt pour *Pour toujours à Mexico*, **une comédie romantique !** Ah, elle se croit très drôle, cette brigadière **BIZARROÏDE !**

Peu importe, nous ne sommes pas ici pour **DÉVORER** du maïs soufflé devant un grand écran. L'important, c'est que nous parvenions à entrer !

Les gens venus profiter du cinéma sont nombreux devant le comptoir alimentaire et dans l'allée qui mène aux différentes salles. Nous parvenons assez facilement à passer inaperçus, mon collègue et moi. Nous passons sans nous arrêter devant la salle quatre, qui annonce *Pour toujours à Mexico*.

D'ailleurs, peu de cinéphiles semblent avoir choisi ce film. Ils entrent plutôt par dizaines dans la salle sept, où l'on projette *Giganator III*. J'imagine quelle fortune les **ARNAQUEURS** accumuleraient si chacune de ces personnes achetait un sandwich pour **cent dollars**, sinon plus. Je comprends mieux le succès de leur entreprise.

— **Fais le guet !** m'ordonne le caporal Hubert avant de se faufiler vers la salle de projection.

Dans le récepteur, j'entends la respiration bruyante de l'agent, seul signe de son agitation intérieure. De mon côté, je reste près de l'entrée, l'air d'attendre quelqu'un. J'ai beau être une très mauvaise comédienne, cette fois-ci, mon interprétation est **excellente**, puisque j'attends effectivement quelqu'un.

Dans mon oreille, Hubert me tient au courant de chacun de ses gestes, comme s'il voulait me prouver que **LUI** travaille

D'ARRACHE-PiED tandis que je poireaute parmi les **GRiGNOTEURS** de maïs soufflé.

— Super : notre déverrouilleur fonctionne encore **à merveille !** J'ouvre la porte. **Génial**, il n'y a personne. Bon. L'ordinateur qui lancera la projection est juste ici… Ça ne devrait plus être bien long, Zélina. **Je vais tout arranger !**

Il s'attend à ce que je m'exclame : **« HOURRA ! HUBERT, MON HÉROOOOS ! »** Je me contente de lever les yeux au plafond, jetant ensuite un coup d'œil à mon téléphone pour donner l'impression aux passants que je suis occupée. Suivent quelques secondes de silence. Hubert aurait-il un problème avec son micro ? Impossible qu'il cesse de se venter **AUSSI longtemps !**

Puis j'entends :

— C'est **BIZARRE**, je ne vois rien !
Julienne avait bien dit que c'était dans
ce film-ci, non ?

Pour ne pas avoir l'air de parler toute
seule, je pose mon téléphone sur mon
oreille, afin de répondre à Hubert :

— **OUAIP**.

— Pourquoi, alors, quand je regarde
les images du film une à une, je ne vois
aucun sandwich ?

— Peut-être que les arnaqueurs envoient
l'image directement de la salle ?

— Je vais aller voir !

OH NON! Je ne vais pas faire la potiche en regardant **MÔÔÔÔSiEUR HUBERT** s'amuser plus longtemps! Par un hasard heureux pour moi (je sais, c'est méchant de m'en réjouir), j'entends une voix se superposer à celle d'Hubert.

— Qu'est-ce que tu fais là, p'tit gars? J'appelle la sécurité!

Cette fois-ci, il n'a pas le choix de me laisser **sauter dans l'action!** Pour mieux me concentrer, je retire le récepteur de mon oreille. J'ouvre ensuite doucement la porte de la salle sept. Des publicités jouent sur l'écran. Un éclairage tamisé me permet encore de bien voir ce qui se passe dans la grande pièce bondée, mais je pose tout de même les **lunettes à vision nocturne** sur le bout de mon nez, en prévision de la noirceur à venir. Puis, je descends lentement l'allée et j'observe chaque visage sur mon passage. J'espère avoir l'air de chercher un ami qui m'aurait gardé une place.

Les publicités font place aux bandes-annonces des prochains films à l'affiche, signe que notre temps est compté… Julienne a mentionné que l'image du sandwich apparaissait habituellement durant le générique de début!

OH! Voilà un des hommes du camion couleur lime de tout à l'heure! J'aimerais bien m'asseoir juste à côté de lui, mais ces places sont occupées. Je m'assois de l'autre côté de l'allée. Je devrais être assez près pour me connecter au **dispositif électronique** qu'il utilisera pour lancer

l'image du sandwich à l'écran. Mon téléphone en main, je cherche tout appareil
connecté au réseau Wi-Fi du cinéma, à
tout autre réseau du genre, aux réseaux
cellulaires, au réseau téléphonique et j'en
passe! C'est **BIZARRE**, je ne trouve rien.
ARGH... si j'étais plus près, je pourrais
au moins voir ce qu'il fait!

En voyant s'éclairer le visage d'une femme
à la **lueur bleutée** de son téléphone,
j'ai tout à coup une idée. Cette femme
est assise juste derrière le **MÉCHANT**. Je
réussis sans peine à me connecter à son
appareil, auquel je fais émettre à distance
une **SONNERIE DÉSAGRÉABLE**. La
femme fronce d'abord les sourcils. Elle
essaie de couper le son, **sans succès**.
Plus les regards réprobateurs se tournent
vers elle, plus elle s'agite. Elle finit par

quitter la salle au pas de course. **Super !**
Je me glisse discrètement à sa place. De
mon nouveau poste d'observation, je
peux apercevoir le bidule que le faux
cuisinier tient dans sa main.

On dirait une version miniature des pro-
jecteurs accrochés au plafond de certaines
classes de l'école Saint-Claude. **Ah !** Si je
comprends bien, il ne glisse pas sa photo
de sandwich entre deux images du film.
Il la fait plutôt **apparaître** par-dessus,
probablement à un moment clé où
l'écran est tout blanc. De toute façon,
quatre centièmes de seconde suffisent
pour qu'une image s'incruste dans l'esprit
des gens !

Maintenant que je sais un peu mieux ce
que je cherche, je pianote à nouveau sur

mon écran de téléphone, espérant accéder à distance à ce projecteur miniature. Sans succès : il n'est connecté à aucun réseau ! Quand le générique du début de *Giganator III* envahit l'écran, la panique monte en moi. Je dois empêcher l'homme de lancer son image, **mais comment ?**

Je le vois lever sa main gauche pour brandir son appareil à la bonne hauteur. L'index de sa main droite est placé au-dessus du bouton, prêt à appuyer au moment opportun. Zélina, tu ne peux pas rater cette mission ! C'est **ton honneur** qui est en jeu ! Mon cerveau roule à toute allure. En moins de trois secondes, je saisis le verre de boisson gazeuse posé dans le support à côté de moi. Je soulève le couvercle de plastique et je verse le contenu brun et pétillant

SUR LA TÊTE DU BANDIT. Il hurle un **« AAAAARK ! »** Malheureusement, juste avant qu'il se retourne (et que je me sauve si vite que mon ombre est probablement encore assise devant le film), un appétissant sandwich apparaît et disparaît sur le petit appareil de l'homme! **NOOOOON !**

Je suis presque certaine qu'aucun spectateur ne se souviendra des premiers moments du film *Giganator III.* Ils se rappelleront seulement avoir vu une fille courir vers la sortie, comme foudroyée par une **FULGURANTE GASTRO-ENTÉRITE**. Je ne crois pas avoir déjà couru aussi vite de toute ma vie. Je suis heureuse de voir que mon entraînement au gymnase de **l'agence TAC** porte fruit! Et je suis encore plus contente de remarquer que le **VILAIN VENDEUR** de sandwichs ne me suit pas.

Alors que mes pas foulent le corridor au tapis parsemé d'étoiles, l'employé qui a mis Hubert à la porte crie :

— On ne court pas, mademoiselle !

Sinon quoi, il me chasse des lieux ? C'est **exactement** ce que je fais : **JE FUIS !** Je me glisse agilement sous le cordon de l'entrée, puis tout mon corps percute les portes vitrées, qui ne s'ouvrent pas assez aisément à mon goût.

Une fois dehors, je suis freinée dans ma course par Hubert, qui se poste devant moi. Notre collision provoque chez lui un grognement. Mais quoi, c'est lui qui s'est placé sur ma route ! En frottant son bras endolori, il demande :

— Ça a fonctionné ?

Je prends quelques secondes avant de lui répondre, tant parce que je dois reprendre mon souffle que parce que je crains d'avouer la vérité.

— Je ne pense pas.

Je lui raconte toute la scène. À la fin, son air sombre s'illumine et il demande :

— Mais toi, tu l'as vu, **le sandwich ?**

— L'image apparaît et disparaît si vite qu'on n'a pas vraiment le temps de la voir, mais je suppose que mon cerveau l'a enregistrée, oui.

— Aurais-tu envie d'en manger un **maintenant ?**

Je ressens alors un **HAUT-LE-CŒUR**, qui me permet de répondre sans aucune hésitation :

— **OUACHE ! NON !**

Comme c'est **ÉTRANGE !** Pourquoi les sandwichs me dégoûtent-ils autant, **tout à coup ?** En attendant que le film se termine et que les spectateurs sortent, Hubert et moi lançons quelques hypothèses.

— Peut-être que c'est parce que tu portais des lunettes ?

— Quelles lunettes ?

Hubert éclate de rire et pointe du doigt **les lunettes à vision nocturne** qui sont toujours sur mon nez.

— Peut-être que c'est simplement parce que je viens de courir.

— Possible.

— Ou qu'en connaissant le stratagème, mon cerveau ne pouvait pas être manipulé aussi facilement.

— Ça se peut aussi.

— Ou que je suis vraiment plus intelligente que la moyenne des gens.

— Impossible.

Quand mon regard se tourne vers le camion vert lime, mon estomac se tord et j'ai l'impression qu'une odeur de **VIEILLE VIANDE FROIDE VERTE** me monte aux narines.

Comme Hubert et moi n'avons pas le choix d'attendre la fin du film avant de quitter les lieux, nous nous assoyons au bord du trottoir, en retrait de l'entrée principale du cinéma, discutant de la vie à l'agence et de mon quotidien avant que je connaisse l'existence de TAC. Je lui parle d'Élora et de Félix. Il pose plein de questions à propos de l'école. Il est curieux, puisque qu'il est resté très brièvement dans les classes « normales » avant de rejoindre **l'agence TAC.**

Le temps passe alors très vite. Et d'un coup, le va-et-vient des cinéphiles devient plus important. *Pour toujours à Mexico* et *Giganator III* viennent de se terminer, à peu près au même moment. **C'est l'instant de vérité...**

Ce que nous entendons alors, Hubert et moi, nous donne envie de danser :

— **ARK !** Parle-moi pas de souper ! Je ne sais pas ce qu'ils ont mis dans le maïs soufflé, mais après trois bouchées au début du film, je me suis mis à avoir un drôle de **MAL DE CŒUR**.

— **ARK !** Regarde ça ! Un camion à sandwichs ! Ça a vraiment l'air dégoûtant !

— **ARK !** Je ne comprends pas pour-quoi, mais je pense que je ne mangerai **PLUS JAMAIS** de jambon de ma vie.

Tout à coup, je comprends : en hurlant **« ARK ! »** au même moment où l'image de sandwich envahissait l'écran, l'arnaqueur a provoqué un effet subli-minal combiné. Maintenant, tous les gens qui y étaient présents associent les sandwichs à un **GRAND DÉGOÛT !**

Hubert lance simplement : **« Cool ! »** Je crois que c'est ce qu'il peut faire de mieux au rayon des félicitations. **Mission accomplie !** Pour cette fois, en tout cas. Il ne nous reste qu'à espérer que l'agence de Toronto réussira sa mission d'arrêter définitivement ces vendeurs de sandwichs.

Hubert appelle Web pour lui annoncer la bonne nouvelle. Une vingtaine de minutes plus tard, la voiture de Paul freine **BRUSQUEMENT** devant nous. Il baisse la vitre du côté passager et demande :

— Vous montez ?

À la blague, je réponds :

— Peux-tu nous promettre qu'on arrivera **sains et saufs** à l'école Saint-Claude ?

— Si vous préférez, vous pouvez laisser conduire Wi-Fido ! réplique l'adolescent en roulant des yeux exagérément.

Je m'informe :

— Il est encore dans l'auto ?

— Mais non, il était avec vous deux, non ?

Je doute une seconde, avant de me rappeler l'avoir laissé exprès dans la voiture. Cette mission aurait été **INFERNALE**, avec ce toutou mécanique ! Mais… où peut-il être passé ? Nous roulons un moment dans les environs du cinéma en espérant le retrouver, sans succès. Tout à coup, j'y pense :

— Wi-Fido a sûrement une puce GPS pour permettre de le localiser !

Paul me détrompe :

— Il en avait une, mais Naïma en cherchait une, l'autre jour, et on lui a tous
suggéré de prendre celle de Wi-Fido. On
la trouvait inutile…

Bah, nous finirons bien par le retrouver !

LA MENACE DE BiBiANNE

De retour à l'agence, je ne m'inquiète pas **du tout** de la disparition de Wi-Fido. Je me sens même **libérée !** Mais bien vite, la culpabilité prend le dessus. Après tout, c'est parce qu'il a voulu me suivre qu'il a fini par se sauver. Ensuite, c'est l'inquiétude qui me gagne : j'espère qu'il ne lui est rien arrivé de grave… **Eh oui**, je me suis attachée à ce chien… bien malgré moi !

La vie sans Wi-Fido se poursuit à **l'agence TAC**. Dans nos temps libres entre les cours, les entraînements et les **missions**, nous tentons chacun notre tour de retrouver sa trace, mais j'ai l'impression qu'à part Hubert et moi, personne n'y met vraiment de cœur.

Trois jours après la disparition de Wi-Fido, une nouvelle information change la donne. Pendant notre nouveau cours de mime (je découvre que j'ai un talent inouï pour manger de la soupe imaginaire avec une **cuillère invisible**), Web se racle la gorge dans son porte-voix turquoise, et déclare :

— Mes chers agents, un moment d'attention. Je viens de recevoir un fax…

Autour de moi, les regards dubitatifs se croisent et des chuchotements surpris flottent comme des mouches qui bourdonnent. Web doit donc s'expliquer :

— Oui, j'ai **toujours** un fax dans mon bureau, ce moyen de communication bien peu utilisé aujourd'hui, et qui permet de transmettre des messages sur papier. Vous devinerez peut-être qui utilise cette technologie de la fin du siècle dernier?

Je n'en ai aucune idée. Autour de moi, plusieurs jeunes lèvent les yeux au plafond en marmonnant le même nom : **Bibianne Baribeau**. Ce nom ne me dit rien du tout. Web enchaîne :

— **EXACT !** C'est bel et bien un message de Bibianne! Voici ce qu'elle nous écrit : « Chère agence TAC, J'ai enfin mis la main sur ce chien-robot que je cherche depuis plusieurs décennies. Il se trouve dans mon quartier général. Vous voulez ravoir votre invention ? Vous savez ce que j'attends de vous! Je vous sais tout proche. L'étau se resserre… **HA, HA, HA !**»

Tous les agents éclatent de rire. Si cette friponne tenait tant à menacer l'agence, ce n'est pas Wi-Fido qu'il fallait kidnapper! De mon côté, je n'ai pas le cœur à la rigolade. Un détail dans le message de cette Bibianne Baribeau me dérange : comment peut-elle le chercher depuis **plusieurs décennies ?** Wi-Fido a été construit il y a trois ans à peine! Quand tout le monde a retrouvé son sérieux (ou presque), le patron ajoute :

— Pour l'instant, je ne vois même pas l'intérêt de répondre à Bibianne, mais je tenais quand même à vous tenir au parfum. Vous pouvez continuer vos tâches respectives!

Je retourne dans la section gymnase, là où se donne le cours de mime. Mais je n'arrive pas à me concentrer. Je sors mon téléphone de ma poche et je consulte les dossiers des **ENNEMIS DE L'AGENCE**. La photo qui accompagne le dossier de Bibianne Baribeau confirme mon intuition : c'est bien la **FEMME ÉTRANGE** que j'avais croisée dans le stationnement près de l'agence, durant ma mission d'entraînement en 1991, et qui m'avait parlé **d'agrumes**. Elle a vieilli depuis, mais elle demeure reconnaissable.

C'est par ma faute qu'elle connaît l'existence de Wi-Fido ! Mon estomac est noué comme le lacet d'un marathonien qui veut éviter de trébucher au milieu de son quarantième kilomètre. Heureusement, la

COTE DE DANGEROSITÉ de Bibianne est très basse.

« Bibianne est une ancienne agente de TAC qui n'a pas digéré le fait de devoir quitter son poste à dix-huit ans, comme tous les autres. Elle a tenté par tous les moyens de réintégrer l'agence et de nous retrouver au fil de nos déménagements. Elle menace sans cesse de dévoiler publiquement l'existence de TAC si on ne lui trouve pas un nouveau poste, ce qui, évidemment, est **IMPOSSIBLE** en raison de son âge, mais aussi parce qu'on ne croit pas qu'elle ait su s'adapter aux nouvelles technologies.

Tant que Bibianne n'a aucune preuve de l'existence de l'agence TAC, elle demeure une menace dérisoire. »

Hubert a dû remarquer mon malaise, puisqu'il s'approche de moi à la première occasion. **Ça y est !** Il va encore en profiter pour me rappeler que je suis une **PAUVRE DÉBUTANTE** qui ne fait que des erreurs ! C'est injuste ! C'est grâce à moi si les **ARNAQUEURS** aux sandwichs n'ont pas pu s'enrichir, il y a quelques jours ! À ma grande surprise, sa voix qui chuchote à mon oreille tremblote, comme si ce **« super-agent »** était aussi soucieux que moi :

— Zélina, il faut **absolument** qu'on retrouve Wi-Fido ! Rejoins-moi dans le local du concierge, en haut, dans une heure.

À l'heure dite, je me rends à la porte qui mène au local du concierge. Avant de suivre le passage secret, je jette un coup d'œil à l'écran qui transmet en direct tout ce qui se passe dans le grand placard. Hubert n'est pas encore arrivé. En fait, la pièce est déserte. J'imagine qu'il a trouvé un **bon stratagème** pour éloigner monsieur Denis de son placard. Je me glisse dans le tunnel jusqu'à la trappe, que je pousse pour me retrouver un étage plus haut.

Mon cœur cesse de battre durant plus d'une seconde quand un murmure m'accueille :

— **SALUT, ZÉLINA !**

Je comprends alors qu'il a figé la caméra afin que personne à l'agence ne puisse espionner notre conversation. Pour qu'Hubert prenne toutes ces précautions, c'est qu'il doit être **TRÈS ANXIEUX** ! Il s'empresse de me faire ses aveux en regardant le plancher.

— Tu t'es peut-être rendu compte que… enfin… ce n'est rien contre toi, c'est juste que…

Je pourrais le laisser s'empêtrer dans ses mots en **TORTiLLANT** le coin d'un sac de poubelle, mais je me sens l'âme généreuse. À voix basse, je complète son idée :

— Tu n'aimes pas beaucoup les nouveaux agents. Tu ne vois pas l'intérêt d'en accueillir des nouveaux, alors que tu peux réussir tant de missions **par toi-même**.

— Quelque chose comme ça, oui.

— Et **ÇA T'EMBÊTE VRAIMENT** que je réussisse.

— Quelque chose comme ça aussi.

J'empêche un rire de s'échapper d'entre mes lèvres.

— Qu'est-ce que ça a à voir avec Wi-Fido, Hubert?

Il prend une grande inspiration et déballe tout d'un coup:

— Comme Wi-Fido te suivait partout, je lui avais installé un micro en espérant pouvoir enregistrer **DES PREUVES DE TES GAFFES**. C'est niaiseux, je sais. Et maintenant…

Je complète sa phrase pour lui :

— Si Bibianne trouve l'enregistreur contenant toutes les conversations que le micro a captées, elle aura **DES TONNES** de preuves de l'existence de l'agence TAC et de sa présence sous l'école Saint-Claude! On doit retrouver Wi-Fido **LE PLUS VITE POSSIBLE !**

OÙ SE CACHE-T-ELLE?

Pour les autres agents de TAC, les jours suivants sont plutôt tranquilles.

La mission la plus intéressante des derniers jours est l'installation d'une caméra de surveillance près de la porte six pour savoir **QUI COLLE DES GOMMES SOUS LES MARCHES** (trois agents s'y sont collés les cheveux). Le plus **gros suspens** concerne les souliers volants non identifiés : réussirons-nous à passer d'une hauteur de vol de douze à vingt-trois centimètres?

Aussi bien dire que tout le monde pourrait prendre congé sans que la planète
en souffre! Mais sous nos airs relax (mes
talents de comédienne s'améliorent
de jour en jour!), Hubert et moi nous
agitons de tous bords tous côtés. Par-
dessus le marché, nous devons suivre nos
cours et terminer nos devoirs, même les
PLUS FARFELUS.

Un après-midi, au jour quatre de la
disparition de Wi-Fido, Hubert et moi
profitons d'ailleurs du moment où nous
fabriquons une réplique de Web en papier
mâché pour faire avancer notre mission.

— Bibianne ne peut pas être très loin
d'ici ou du cinéma, si elle a pu mettre la
main sur notre **STUPiDE CHiEN!**
chuchote Hubert.

— Est-ce qu'on peut la localiser en nous servant du fax? Comment ça fonctionne, ce machin? Avec une adresse?

— Un numéro. Ça marche avec la ligne téléphonique.

— **Wow!** La grande technologie!

Mon **SARCASME** fait éclater Hubert de rire. Cela attire l'attention de Julienne, qui aide un agent à fixer le nez de sa sculpture de papier. Elle nous lance un regard attendri. Je devine ce qu'elle se dit : elle croit qu'en nous envoyant ensemble au cinéma et en achetant des billets pour un film romantique en plus, elle a réussi à nous rapprocher. Comme elle doit être fière de son coup! **TSSS!** Si elle savait que la seule chose qui pouvait rapprocher cet arrogant agent et moi, ce sont nos **GAFFES MONUMENTALES**, elle nous trouverait beaucoup moins mignons, en ce moment!

Parlant de gaffe… on dirait qu'Hubert et moi les accumulons! Nathan s'approche de notre groupe, **L'AIR EN COLÈRE**.

— Est-ce que c'est un de vous qui a figé la caméra de surveillance du placard du concierge? Je voulais aller y chercher un outil et je suis tombé nez à nez avec Denis, alors que l'écran montrait que le champ était libre!

Hubert déglutit **PÉNIBLEMENT**. Il n'a toutefois pas le temps d'avouer ses torts ; Nathan se contente de crier: «Faites plus ça!», avant de tourner les talons.

Il y a quelques semaines, j'aurais été enchantée qu'Hubert commette une **TELLE GAFFE !** Mais pas aujourd'hui. C'est fou comme les choses changent vite, parfois ! Et puis, cette histoire de caméra de surveillance me donne une idée. Je pose ma main sur l'épaule de mon camarade en m'exclamant :

— **Caméra !**

— **OUACHE, ZÉLINA !** Ta main était pleine de colle !

— **Oh !** Désolée.

Les sourcils d'Hubert ne restent pas froncés bien longtemps, quand je lui explique mon idée :

— Si on réussit à avoir accès aux différentes caméras de surveillance des environs, on pourra sûrement suivre la trace de Bibianne Baribeau!

— Ce serait sûrement possible, oui… fait Hubert, pensif.

— Ce sera plus facile que de convaincre qui que ce soit que notre «chef-d'œuvre» en papier mâché ressemble à Web… Tu verras!

Une fois de plus, Hubert pouffe de rire. Et dès que possible, il se rue sur un ordinateur libre, tandis que j'utilise mon téléphone pour mettre notre plan à exécution. Je réussis à me connecter plus rapidement que mon partenaire aux réseaux des différentes **caméras de**

surveillance. Je vois bien que ça le fait bouillir de jalousie. Et je l'avoue : ça me réjouit.

Malgré tout, nous avançons à pas de Wi-Fido quand sa batterie est à plat… On n'arrivera jamais à localiser Bibianne de cette manière, même si on essaie, en toute logique, de commencer nos recherches par les endroits où aurait pu se trouver Wi-Fido au moment où elle l'a volé ! Et plus Wi-Fido passe d'heures entre ses mains, plus le risque est grand qu'elle finisse par tomber sur les enregistrements !

En poussant la trappe qui mène au fond de la cour d'école, le soir venu, je promets à Hubert de poursuivre mes recherches à partir de mon téléphone cellulaire. Mais en vérité, je ne suis pas certaine de vouloir me donner tout ce mal. Je suis **ÉPUISÉE** et bientôt **DÉCOURAGÉE**. Ainsi, une fois à la maison, je préfère me changer les idées en échangeant des textos avec Élora.

Élora

Alors, ton chien avance ?

Zélina

J'ai quelques problèmes ces jours-ci, mais je devrais finir par les régler. Parlons d'autre chose, OK ? J'ai besoin de me changer les idées !

Élora

Dacodac ! Tu aurais adoré assister à la visite d'un gars aujourd'hui, qui est venu nous parler de règles à suivre sur les réseaux sociaux. On sait déjà qu'il ne faut jamais mettre de renseignement confidentiel. Mais il nous a aussi expliqué que certains jeux du genre « Grâce à ton image de profil, de quoi auras-tu l'air à cent ans » ou « À quelle star ressembles-tu », permettent à du monde de monter une banque de données sur les visages. Savais-tu ça ?

Je ne peux pas écrire à Élora que ce genre de renseignement fait partie de notre **formation d'agents**. Je ne peux pas non plus lui écrire que le gars qui a visité la classe de madame Jacinthe, c'est probablement Benjamin ou Paul, à la demande de monsieur Gendron. Finalement, je ne peux pas écrire que grâce à elle, je viens de trouver la **solution** à notre problème !

Je me contente d'une réponse innocente et enjouée.

Zélina

> C'est vraiment intéressant, Élo ! Tu sais que je ne suis pas sur les réseaux sociaux, parce que mes parents refusent toujours ?

Tout en terminant ma conversation avec ma camarade (qui me parle de sa sortie au cinéma avec Félix), je m'empresse d'écrire aussi à mon **EX-ENNEMI** devenu un presque ami.

Zélina

> Hub ! Reconnaissance faciale !

Ce garçon a au moins l'avantage d'être plutôt rapide, puisqu'il répond aussitôt :

Hubert

> Tu veux lier le logiciel de reconnaissance faciale de l'agence aux différentes caméras de surveillance de la ville pour repérer Bibianne plus vite ? C'est une bonne idée, mais ça prendra bien trop de temps !

Zélina

> Laisse-moi essayer...

Hubert n'a donc pas encore compris pourquoi Web et Julienne ont tenu à m'engager ? Le soir, chez moi, tant par souci de régler notre problème le plus rapidement possible que pour montrer

mon talent à Hubert, j'avale mon souper en trois bouchées.

Rapidement, l'écran de mon téléphone me brûle les yeux. Il faudra que je me fabrique des lunettes pour me protéger de la **lumière bleue**, un de ces quatre. Une demi-heure plus tard, j'ai mal partout. Quelques postures de yoga me permettent de dénouer mes épaules et mon dos. **Eh bien !** Ce cours-là n'est pas si inutile, après tout! Mais je persévère et vers deux heures du matin, enfin, je lance mon **système à la recherche** de cette Bibianne aux quatre coins de la ville.

Je suis **MORTE DE FATIGUE** et ma tête retombe sur mon bureau. Je suis tellement crevée que je ne repousse même pas les objets qui traînent. J'aurai certainement ce boulon étampé sur la joue pendant plusieurs jours, mais à ce moment précis, **JE M'EN FOUS COMPLÈTEMENT**. Je suis trop heureuse de pouvoir rêver à cette victoire qui approche et à l'air que fera Hubert quand il verra que j'ai réussi ce qu'il croyait **impossible !**

DES CŒURS EN FLEUR ET DU MYSTÈRE

Le lendemain matin, ma joue porte effectivement les marques des objets qui jonchaient mon bureau. **Peu importe !** Je consulte mon ordinateur, qui poursuit ses recherches sans se fatiguer.

C'est prometteur : quelques faces de Bibianne retrouvées aux quatre coins de la ville s'agrandissent quand je visite la section **« résultats »**. Juste avant de partir, je m'assure que mon téléphone me permette de voir ces résultats à distance à tout moment de la journée, puis je me dépêche de me rendre à l'agence avant que les élèves de l'école Saint-Claude pénètrent dans la cour.

Quelques agents se retournent quand j'atterris dans le coussin de l'entrée de l'agence, mais celui que je cherche ne fait pas partie de ce nombre. Quand je demande si quelqu'un a vu Hubert, Julienne passe en émettant un **RIRE DE SORCIÈRE COQUINE**.

Alors que Paul pointe du doigt l'atelier de robotique, mon téléphone se met à **VIBRER** dans ma poche avec insistance. Je m'empresse de le consulter. Mon logiciel a détecté vingt-sept photos de Bibianne au même endroit : devant la résidence pour personnes âgées Le cœur en fleurs. **Et ça continue !** Comme c'est intéressant! On la voit entrer et sortir de la résidence, mais aussi se diriger vers l'arrière.

Je cours jusqu'au labo de robotique. En rejoignant Hubert, j'imagine à nouveau **L'ÉTRANGE RICANEMENT** de Julienne. Par bonheur, elle vient de quitter le quartier général pour aller jouer son rôle de brigadière. En m'approchant, j'en déduis que mon acolyte assemble des fils, des vis et des tiges de métal sans but précis, simplement pour se changer les idées. Je lui tends mon téléphone. Il jette un coup d'œil aux photos retransmises par mon ordinateur et son système de reconnaissance faciale. Sa bouche est tellement grande qu'il pourrait gagner au concours de celui qui engloutira le plus de guimauves d'un seul coup.

Toujours aussi plein d'orgueil, Hubert me rend mon téléphone, avant de lancer d'un air détaché :

— **COOL**.

— Il faut aller **jeter un coup d'œil** autour de cette résidence !

— Oui, bon, c'est peut-être juste là où elle vit.

— D'après nos fichiers, elle a cinquante-six ans. Il me semble qu'elle est trop jeune pour vivre dans ce genre d'endroit, non ?

— Oui. Alors peut-être qu'elle y travaille.

Hubert marque un point. J'ai toutefois l'impression qu'il essaie de minimiser ma découverte, et **ÇA M'ÉNERVE !**

— Pour le moment, c'est notre seule piste. J'ai bien l'intention d'aller jeter un coup d'œil à cette résidence. Tu m'accompagnes ou pas?

Je déduis qu'il est d'accord, puisqu'il répond:

— On a juste à dire qu'on va s'entraîner dehors...

La plupart du temps, les missions nous amènent hors de l'immeuble une bonne partie de la journée. Mais ces jours-ci, **LES BRIGANDS** sont si tranquilles que nous passons le plus clair de notre temps enfermés. Web trouve donc excellente notre initiative d'aller jogger!

Nous sortons en catimini dans la cour, où quelques élèves sont déjà arrivés, mais ils ne remarquent pas cette parcelle de terre qui se soulève, ni les deux jeunes qui apparaissent **comme par magie**.

Mon entraînement physique à l'agence porte fruit : je suis en bien meilleure forme qu'il y a quelques semaines. Je peux donc suivre sans trop de difficulté Hubert, qui tient à s'éloigner de l'école en joggant avant que nous mettions en place la suite de notre plan. Puis, quelques rues plus loin, il propose :

— Je devrais patrouiller les alentours, pendant que tu iras inspecter la résidence Le cœur en fleurs. Je te rejoins après.

Son plan n'est pas mauvais, même si j'aurais préféré qu'on s'y rende à deux. Je suis confiante de pouvoir **dénicher**

quelques indices. Et peut-être retrouverai-je Wi-Fido! Mais je n'ose même pas rêver à autant de facilité… Hubert part de son côté avant même que je réponde. C'est bien lui, ça!

Je consulte rapidement un plan du quartier pour situer la résidence. Si c'est bien là le repaire de cette Bibianne, elle est **DANGEREUSEMENT** près de nous! Toujours en courant, je m'y rends en moins de dix minutes!

Une fois à destination, je suis frappée de ces quelques constatations:

Je ne suis pas préparée du tout;

Si Bibianne me voit, il y a de fortes chances qu'elle me reconnaisse, même si elle aura l'impression de m'avoir aperçue il y a plusieurs dizaines d'années, sans que j'aie vieilli.

Si Hubert s'est sauvé, c'est peut-être parce qu'il sait qu'au fond, Bibianne est terriblement dangereuse. Peut-être qu'elle **MANGE DES ENFANTS** nappés de lait et accompagnés d'un pamplemousse pour le déjeuner !

J'essaie donc de me faire petite et de ne pas attirer l'attention des trois humains très ridés qui se bercent sur le balcon. Je passe devant la résidence comme si de rien n'était, puis je bifurque au dernier moment comme une **véritable ninja**. Je longe le mur extérieur du bâtiment, à la recherche d'un indice. Ça part mal : je ne vois qu'un parterre de fleurs mauves.

Faute d'une meilleure idée, je me penche au-dessus du parterre, à la recherche d'une **poignée mystérieuse** à travers les fleurs, d'une trappe cachée ou d'un écriteau **« Entrée secrète ici »**, sans grand espoir.

Soudain, quelqu'un éternue derrière moi, me faisant sursauter. Ça y est, **JE SUIS FOUTUE !** Qu'est-ce qui m'a pris, aussi, de venir ici sans Hubert ? **FICHU ORGUEIL !** Mais il est trop tard. Et me voilà complètement tétanisée !

16

CUISINIÈRE D'UN JOUR

— Bonjour, mademoiselle!

L'homme qui se tient bien droit près de moi a des cheveux blancs qui ressemblent beaucoup plus à des plumes qu'à des poils, des sourcils touffus comme des chenilles grises au-dessus de ses yeux et un sourire un peu jauni. **ÉTRANGEMENT**, il ne semble ni en colère ni surpris de trouver ici une fille de douze ans, les mains couvertes de terre. Il attend que je dise quelque chose, mais mes mots forment un bouchon de circulation quelque part en chemin vers ma bouche. Le vieil homme demande:

— Tu viens pour le **bénévolat**, c'est ça? Tu es l'apprentie jardinière.

Je pourrais simplement répondre «oui». Il partirait, sans se soucier de l'étrangère dans le jardin. Pendant que je pèse à toute vitesse le pour et le contre d'un tel «oui», je vois la **SILHOUETTE** de Bibianne Baribeau arpenter le trottoir à quelques mètres de moi, en direction de la résidence.

Je sens la **PANIQUE** monter en moi comme le niveau de l'eau dans une baignoire. Si je reste à l'extérieur, elle finira par m'apercevoir. Je dois rester tout près, mais en diminuant **LE RISQUE D'ÊTRE REPÉRÉE**.

— Non. Je suis juste venue vérifier si vous aviez des **plantes comestibles**. Je fais du bénévolat à la cuisine.

Mes phrases ont coulé avec tant de naturel que j'ai l'impression que quelqu'un d'autre les a dites. Des plantes comestibles pour mon bénévolat en cuisine? **C'EST COMPLÈTEMENT RIDICULE!** Mais l'homme sourit toujours. Il répond :

— Je serais surpris qu'il y ait des affaires qui se mangent là-dedans!

Je me relève et j'essuie mes mains terreuses sur mon pantalon. De toute façon, mes genoux portaient déjà des marques de gazon.

— Je t'accompagne jusqu'à la cuisine, jeune fille ?

— Ce serait gentil, **oui** !

Si je suivais le petit guide du parfait agent de TAC, je ne suivrais pas un inconnu en territoire tout aussi **INCONNU**, sans qu'un collègue protège mes arrières. Mais le temps presse ! Et, bien que j'avais l'impression qu'Hubert finirait par venir me rejoindre, j'ai maintenant le sentiment qu'il me laissera me débrouiller sans lui. On a beau s'entendre de mieux en mieux, il serait quand même content que je sois renvoyée de l'agence après avoir **GAFFÉ TERRIBLEMENT** !

Mon intuition me dit aussi que ce papi n'a rien de bien dangereux et que j'attire beaucoup moins l'attention en marchant en sa compagnie dans la résidence. D'ailleurs, la suite des événements me donne raison : en montant les marches du perron qui mène à la porte principale de la résidence, je remarque Bibianne, assise avec deux femmes beaucoup plus vieilles qu'elle. D'un geste vif, je détache mes cheveux pour couvrir en partie mon visage. Du coin de l'œil, je remarque qu'elle a jeté un bref regard en direction de mon guide, sans plus. **Eh bien !** Elle devait être une agente bien peu attentive aux détails !

Le pas plus léger, j'entre dans la résidence. La **FORTE ODEUR** de détergent me rappelle celle de la toilette dans laquelle j'ai atterri en 1991. Pourtant, je n'ai pas fait trois pas dans ce décor de tapisserie fleurie qu'une voix nous interpelle. Je reconnais celle de Bibianne!

— Monsieur Bloom, vous ne nous avez pas présenté **VOTRE INVITÉE!** C'est votre petite-fille?

Je n'ose plus remuer. Peut-être que si j'arrête de respirer, tout le monde oubliera ma présence… Monsieur Bloom, ses sourcils chenilles et ses cheveux de poussin reculent de quelques mètres pour répondre à **L'ENNEMIE** de l'agence.

— Ma petite-fille? **J'en serais ravi!**

Les dames devront se contenter de cette réponse floue, puisque l'homme me rejoint et poursuit sa route vers ce que j'imagine être la cuisine. Je serais une fois de plus rassurée, si je ne sentais pas une présence derrière moi, qui marche à la même vitesse que nous. J'essaie de garder une démarche naturelle, mais je n'y peux rien, j'avance à **PETITS PAS SACCADÉS** comme un robot.

Dans ma tête, les questions se multiplient : est-ce que c'est bien Bibianne, derrière moi ? Impossible de me retourner pour en avoir le cœur net ! A-t-elle une assez **bonne mémoire** pour me reconnaître de dos ?

Puis, j'essaie de me rassurer : si Bibianne s'efforçait de trouver l'agente qu'elle a rencontrée dans le stationnement de l'agence en 1991, elle chercherait une adulte d'une quarantaine d'années, non ? Elle n'a pas pu deviner que j'ai voyagé dans le temps pour me retrouver à cet endroit! Malgré tout, mes mains crispées sont moites et mes genoux sont aussi mous que la tête d'Hubert est **DURE**!

Toujours sans me retourner, je m'engage dans le corridor que me désigne monsieur Bloom.

— La cuisine est juste là. La première porte, **ma chouette**!

Je le remercie en chuchotant, pour que Bibianne, si c'est bien elle qui nous suit, ne reconnaisse pas ma voix. Juste avant de pénétrer dans la cuisine, j'entends les pas derrière moi s'éloigner. **OUF**!

À l'intérieur, un homme tellement joufflu qu'on dirait qu'il pourrait se dégonfler si on tirait sur son nez s'affaire à couper des légumes. Sur le rond de la cuisinière, une **ÉNORME MARMITE** laisse échapper de la vapeur. L'homme imposant lève enfin les yeux de ses oignons.

— Qu'est-ce que tu fais là? demande-t-il d'un **TON SÉVÈRE**.

Je regarde à côté de moi: monsieur Bloom est parti vaquer à ses occupations quotidiennes, quelles qu'elles soient. J'inspire profondément et je dis:

— Je viens pour le bénévolat.

— Quel bénévolat ?

Mon talent d'improvisatrice est de retour:

— Je viens de l'école Saint-Claude. C'est la journée **« aide quelqu'un »**. Madame Jacinthe, mon enseignante, ne vous a pas appelé?

«Aide quelqu'un», ce n'est **PAS FORT** comme nom de projet, mais ça semble fonctionner! L'air sévère du joufflu se transforme instantanément en allure joviale.

— **AH! BIEN ENTRE, ALORS!** On n'a jamais trop de bras, dans ma cuisine! Qu'est-ce que tu sais faire?

— Un peu de tout… Je ne suis pas mauvaise en pâtisserie.

Je ne suis pas tellement bonne non plus, mais comme j'ai eu une leçon hier, les conseils de Julienne, qui nous enseigne cette matière, sont encore **tout frais** dans ma mémoire. Je pourrais même refaire par cœur le gâteau exécuté la veille.

— Ça tombe bien, j'ai eu des petits pépins avec mon dessert. Veux-tu préparer quelque chose?

— Parfait !

— Je m'appelle Oliver, en passant.

— Moi, c'est…

Mieux vaut ne pas révéler mon identité…

— Moi, c'est Élora.

Je jette un coup d'œil aux ingrédients autour de moi. Oliver fait la popote en sifflotant. Je fais de même, sous son **regard étonné** de me voir sortir des ingrédients sans consulter de recette. Cependant, je n'oublie pas la vraie raison de ma présence ici ! J'essaie donc de récolter des renseignements le plus subtilement possible.

— On cuisine pour combien de personnes, au juste ?

— C'est une toute petite résidence, ici. Ils ne sont que vingt-trois.

— J'ai rencontré monsieur Bloom, tout à l'heure. C'est un charmant monsieur. Est-ce que c'est un des plus âgés ?

— **Oh non !** C'est le plus jeune, en fait.

Donc, Bibianne n'habite pas ici.

— Et est-ce que les autres employés sont tous aussi gentils que vous ?

— Ah ! Tu es **bien charmante**, Élora !

— Je crois que j'ai vu une de vos collègues sur le perron, tout à l'heure.

Ma subtilité commence à fondre comme neige au soleil… Je dois être prudente ! Cette crainte fait naître en moi une nouvelle **VAGUE DE PARANOÏA**. J'ai soudain l'impression qu'Oliver se raidit et se rembrunit. Il répond vaguement :

— C'était sûrement Mamzelle Bibianne. Une bénévole.

Malgré le changement d'attitude chez le cuisinier, je suis contente d'avoir posé la question. **UNE BÉNÉVOLE, HEIN ?** Quel beau prétexte pour quelqu'un qui voudrait cacher son quartier général dans les environs ! Le chien-robot est dans les parages, je le sens. **MAIS OÙ ?**

DANGER DEVANT LES FOURNEAUX !

Alors que je sors mon gâteau à la vanille du four, je prends conscience du temps qui a passé depuis que j'ai quitté Hubert. Je présume qu'il a dû retourner à l'agence ! Je vais vite terminer le dessert et le rejoindre au pas de course. Sauf qu'en déposant ma pâtisserie sur le comptoir, je vois que j'ai une tout autre raison d'être inquiète : Oliver et ses joues plus joyeuses **DU TOUT** se tient dans l'embrasure de la porte… avec Bibianne !

Tous les deux me fixent d'un regard menaçant. **OH, OH !** Bibianne fait un pas dans ma direction. Même si elle avançait d'un centimètre à l'heure, je n'aurais pas l'intention d'attendre qu'elle se rende jusqu'à moi.

Je jette un coup d'œil derrière moi et je repère l'issue la plus proche : **la fenêtre !** Je saute sur le comptoir. Mon pied glisse légèrement sur une pelure d'oignon tombée là. Heureusement, je me raccroche au cadre de la fenêtre avant de me retrouver le derrière dans l'évier.

Je lutte pour ouvrir la moustiquaire, mais Bibianne et Oliver me rattrapent ! En désespoir de cause, je donne donc un **ÉNORME COUP DE PIED** dans le grillage, qui cède du premier coup. Je saute aussitôt sur l'herbe de la cour.

Je jette sans cesse des regards derrière moi. Mes **ENNEMIS** n'ont pas eu l'idée d'emprunter le même chemin que moi. Comme ils ne sont plus derrière la fenêtre, j'imagine qu'ils font le tour en passant par l'entrée principale. Je dois **VITE** en profiter pour détaler! La tête toujours tournée vers l'arrière, je cours… et je fonce dans une masse. **UNE MASSE VIVANTE!**

— Franchement, Zélina! La première chose à faire quand tu cours, c'est regarder **DEVANT TOI!**

Une seule personne dans le monde entier me parlerait d'un ton aussi moralisateur à un moment pareil: **Hubert!**

Mais cette fois-ci, je suis soulagée de le retrouver. Il me tire par un trou dans la haie qui cerne la cour de la résidence, et nous contournons ce mur végétal jusqu'à un petit cabanon. De cette **cachette**, nous observons ce qui se passe du côté de la résidence Le cœur en fleurs. J'aurais préféré courir loin, très loin et me terrer, le temps que Bibianne et Oliver m'oublient. Parlant des loups, je les vois apparaître. Ils arpentent la cour, regardant un peu partout. Je suis **TERRIFIÉE** à l'idée qu'ils puissent nous apercevoir.

— Elle a dû courir jusqu'à son quartier général pour se mettre à l'abri! suppose Oliver.

— **OUAiS, PEUT-ÊTRE...** approuve Bibianne, l'air sceptique.

Oliver ricane et s'exclame :

— Il faut voir le bon côté des choses : au moins, **le dessert est prêt !**

Une **COLÈRE** monte en moi. Comment cet homme qui paraissait **si gentil** une heure plus tôt peut-il être le complice de cette **HORRiBLE BiBiANNE ?**

Après quoi, le chef retourne à ses fourneaux. Ou peut-être à une autre tâche, comme réparer la moustiquaire. Bibianne, elle, se dirige vers une porte à l'arrière de la bâtisse. Elle jette un coup d'œil à la ronde, laissant son regard s'attarder quelques instants sur la haie, comme si elle essayait de voir à travers. Elle déverrouille ensuite les **trois serrures**, puis disparaît derrière la cloison.

Je chuchote à Hubert :

— Je n'ai pas l'impression que c'est son quartier général. C'est beaucoup trop à la vue ! Et d'ailleurs, je suis presque certaine qu'elle sait que je suis encore dans le coin. Tu as vu comme elle a pris le temps de scruter la haie, avant d'entrer ? Elle ne nous aurait pas donné l'entrée de son repaire **sur un plateau d'argent**, comme ça !

Naturellement, Hubert est en désaccord avec ma théorie :

— Tu te trompes ! Je crois avoir entendu Wi-Fido japper, tout à l'heure, derrière cette porte. Et si, en fait, Bibianne voulait **NOUS TENDRE UN PIÈGE ?**

J'aimerais avoir une tonne d'arguments pour le contredire, mais je n'en trouve aucun. Son hypothèse est **tout à fait plausible**.

— Alors on fait quoi? On y va ou pas? Ça ne me semble pas très prudent de nous jeter dans la **GUEULE DU LOUP** maintenant, mais comme elle sait qu'on est sur ses talons, elle voudra sûrement changer Wi-Fido de place, non?

Plutôt que de me répondre, cette fois-ci Hubert sort une toute **petite caméra de sa poche**. Je comprends aussitôt qu'il l'accrochera à une branche de la haie et braquera l'objectif vers la porte du repaire de Bibianne. Ainsi, nous serons informés de ses déplacements.

De retour à l'agence, durant tout le dîner et l'après-midi, Hubert et moi gardons tour à tour un œil sur nos téléphones, qui captent les images de la **caméra de surveillance**. Nous voyons parfois les résidents déambuler dans la cour à pas de tortue et profiter un instant du soleil dans la balançoire de bois. Le moment le plus excitant de la journée est quand un raton laveur vole un cœur de pomme. **WOW! QUE D'ACTION!**

Vers dix-huit heures, heure à laquelle la plupart des agents repartent habituellement chez eux, Hubert et moi ignorons encore comment organiser la suite de notre enquête.

Je chuchote à mon acolyte :

— On reste ici ?

— Ce serait louche…

Je soupire. Après avoir pesé le pour et le contre en une fraction de seconde, je propose :

— Veux-tu venir chez moi ?

— Pourquoi pas…

Hubert est le **DERNIER** agent de TAC que j'ai envie d'inviter à la maison. Mais ai-je vraiment d'autre choix ?

18

FONCER DANS LE PIÈGE ?

En nous voyant arriver ensemble, Hubert et moi, mes parents imitent à la perfection l'air de Julienne quand elle imagine des miettes de romantisme entre nous deux. Je roule des yeux, et leur sers une explication qui, trop vague, ne les convainc pas qu'Hubert et moi sommes **STRICTEMENT** collègues. Rien pour aider : après le souper que nous partageons tous les quatre (en jetant toujours des coups d'œil furtifs à nos téléphones), nous nous enfermons dans ma chambre.

Je m'y suis retrouvée des centaines de fois toute seule avec mon ami Félix et ça ne m'a jamais semblé **BIZARRE**. Mais ce soir, tout est différent. Je connais (et apprécie) Félix depuis que j'ai six ans. Il est **comme un frère !** Je connais Hubert depuis quelques semaines seulement. Et je ne peux pas dire que je sache encore l'apprécier.

Je relie à mon ordinateur la caméra qu'Hubert a installée dans la haie de la résidence, pour que les détails soient plus nets que sur nos téléphones. Dans un silence inconfortable, Hubert, assis sur ma chaise à roulettes, et moi, sur un gros pouf de tissu, fixons l'écran du regard. Je me racle la gorge, uniquement pour rompre le silence. Ce **MALAISE** traîne durant une quinzaine de minutes.

C'est finalement Bibianne Baribeau elle-même qui nous tire de cette situation gênante. Sans le savoir, bien sûr... La voilà qui **SORT DE SON REPAIRE** et se dirige vers la sortie de la cour! Nous bondissons tous les deux sur nos pieds.

— As-tu vu si elle avait le chien avec elle? demande Hubert, la voix pleine d'ardeur.

— Laisse-moi reculer l'enregistrement.

Une reprise vidéo au ralenti me confirme que Bibianne est bien partie les mains vides! Super!

Je deviens soudain plus méfiante.

— Et si c'était **UN PIÈGE?**

— Est-ce qu'on a vraiment le luxe d'attendre?

— Je ne crois pas, non.

— On franchira la rivière quand on arrivera au pont.

Je grimace devant cet adage qui ressemble plus à une pensée dans une revue de matantes qu'à une réponse intelligente. Hubert pouffe de rire et précise:

— **OUAIS**, c'est ce que dit toujours Julienne.

J'aurais dû deviner. Mais peu importent les rivières et les ponts; il faut **BOUGER!**

En nous voyant nous précipiter sur la porte d'entrée comme si un incendie avait pris naissance dans ma chambre, mon père comprend qu'une mission nous attend. Sans poser de question, il propose de nous reconduire. Julienne et Web seraient certainement contre... Ils préféreraient que nous nous y rendions à vélo ou que nous appelions un autre **agent en renfort**. Mais cette fois-ci, le temps presse et nos patrons ne doivent surtout pas être mis au courant de ce que nous nous apprêtons à faire !

Mon papa-taxi est décidément notre **meilleure option !** Il s'ennuie sûrement de sa vie d'agent TAC, puisqu'il conduit à une vitesse folle, sans se soucier des feux rouges. Je vois qu'il est un peu déçu quand nous lui demandons d'arrêter avant notre destination finale, pour garder celle-ci **secrète** et pour que nous rejoignions plus subtilement la résidence.

Sur les quelques mètres qui nous restent à franchir, mon cœur bat fort. Plus je gagne en expérience au sein de l'agence, mieux je parviens à calmer mes émotions. Une fois dans la cour, mon rythme cardiaque est rapide, mais mon **EXCITATION** est surtout attribuable à ma hâte de **réussir cette mission**.

Afin de contourner le bâtiment sans nous faire remarquer, nous nous adossons au mur, puis nous le longeons en évitant les fenêtres autant que possible. Cela dit, tout est très calme. Est-ce que tous les occupants de la résidence seraient déjà au lit? Il n'est même pas vingt et une heures! Je repense à la grand-mère de ma mère, qui cognait des clous à vingt heures trente, la dernière fois qu'elle est venue souper chez moi. Pourtant, **CE SILENCE M'INQUIÈTE**.

Chaque petit bruissement dans les feuilles me paraît tout à coup plus menaçant. Cependant, je continue à suivre Hubert, qui, lui, n'a pas l'air d'hésiter une seconde. Je ne vais tout de même pas le laisser voir **MON AFFOLEMENT!**

Nous atteignons la cour arrière sans embûches. Je chuchote:

— On dirait que c'est trop facile!

— Tu préférerais devoir affronter une **ARMÉE DE ZOMBIES ?**

Pas la peine d'ajouter quoi que ce soit. Je sais qu'il comprend très bien ce que je veux dire !

Devant la porte du supposé repaire de Bibianne Baribeau, un premier obstacle nous barre la route. Hubert sort d'un sac en bandoulière le petit appareil que nous utilisons pour déverrouiller n'importe quel type de serrure. Mais cette fois-ci, **ÇA NE FONCTIONNE PAS !** Aucune des trois serrures ne réagit.

— **VOYONS !** s'étonne Hubert.

— Veux-tu que j'essaie ?

— Je ne vois pas ce que tu pourras faire de plus !

Il me tend tout de même le déverrouilleur. Je l'inspecte pendant quelques secondes. C'est suffisant pour qu'Hubert s'impatiente.

— C'est pas l'outil, le problème. Ce sont **les serrures !**

Je hoche la tête en fronçant les sourcils. C'est ma manière de lui faire saisir qu'il ne comprend vraiment rien à rien ! J'ai remarqué, l'autre jour, que le déverrouilleur était conçu pour qu'en cas de besoin, on puisse détacher deux longues tiges de métal. Ces deux pièces ressemblent en tout point aux outils qui m'ont permis de **CROCHETER LA SERRURE** de la station-service en 1991.

En me voyant défaire certaines parties de l'objet, Hubert panique :

— **ARRÊTE !** ES-TU FOLLE ? TU LE DÉTRUIS !

J'ai envie de lui crier de me faire un peu confiance, pour une fois (mauvaise idée), ou de le pousser assez fort pour qu'il vole jusqu'à la haie (meilleure idée… mais non, je blague). Au lieu de cela, j'entre calmement les deux pièces de métal dans la première serrure et je les bouge douce- ment, en me remémorant les **directives de ma mère**.

Quand j'entends un petit **« CLOC »**, je souris. **Ça a fonctionné !** Hubert émet des sons qui pourraient ressembler à des mots. Je suis de plus en plus agile d'une serrure à l'autre. En moins de deux, la porte n'est plus un obstacle !

J'inspire à pleins poumons. Qui sait ce qui se trouvera de l'autre côté...

LE REPAIRE DE L'ENNEMIE

J'ouvre la porte de bois, qui **GRiNCE** sur ses gonds. Pour éviter de causer davantage de bruit, nous nous faufilons dans l'ouverture dès qu'elle est assez large pour nous laisser passer. Devant nous, un escalier de béton qui descend. Les marches nous mènent à une **petite pièce** faiblement éclairée par une lampe sur pied munie d'un abat-jour orangé. La lumière dorée ne nous laisse voir qu'une petite partie de la pièce, que je devine beaucoup plus grande. La moquette au sol ressemble à celle du bureau de Web.

Un fauteuil vert semble nous inviter à nous reposer un moment. Sur le mur juste derrière, des photos ont été affichées. Des bouts de ficelles les relient sans logique évidente. Une des images attire aussitôt mon attention et **ME COUPE LE SOUFFLE** pendant quelques secondes : on y voit **Wi-Fido et moi**, de dos, vêtue de mon déguisement des années 1990 !

Heureusement, Hubert ne porte pas attention à cette image qui fait palpiter mon cœur. Il demande plutôt :

— Tu ne trouves pas que ça sent le céleri ?

Je renifle et, bien que je ne voie pas **DU TOUT** en quoi ce détail est important, j'approuve d'un mouvement de tête.

Je regarde tout autour ce qui peut bien répandre ce parfum. Y a-t-il un tas de légumes par terre? Je baisse les yeux et j'aperçois Wi-Fido, qui avance très lentement vers moi. Il a l'air épuisé, le pauvre! Il aurait dû être rechargé il y a plusieurs jours! Il faudra penser à lui installer des **capteurs solaires...**

Tout à coup, une lampe s'allume au fond de la salle. Est-ce Hubert qui a trouvé un interrupteur? **NON!** Par malheur, il s'agit de Bibianne Baribeau, assise dans un second fauteuil vert. Une énorme branche de céleri entre les dents, à la manière des cigares des voyous dans les films, elle attendait probablement le meilleur moment pour nous surprendre. **ELLE NOUS A BEL ET BIEN PIÉGÉS!**

— **BONSOIR, LES AGENTS!** Avant que vous tentiez quoi que ce soit, je dois vous avertir : aucun de vos outils technologiques ne va fonctionner ici! Regardez, même votre **PRÉCIEUX CHIEN** est incapable d'agir normalement.

Notre « précieux » chien? Je m'apprête à **ÉCLATER DE RIRE**. Mes envies de rigolade disparaissent d'un seul coup quand j'entends un **DÉCLIC SONORE** provenant de la porte de sortie. J'en déduis que **NOUS SOMMES COINCÉS**. Je ne crois pas que Bibianne puisse physiquement nous faire du mal, mais nous sommes en territoire ennemi : nos appareils ne fonctionnent pas, et les siens, **oui!** Je suis certaine qu'il y a dans cette pièce tout ce qu'il faut pour nous faire passer un mauvais quart d'heure… **BRRRR!**

Je jette un coup d'œil vers Hubert. Il est complètement immobile et semble réfléchir à une solution. J'ai envie d'interroger Bibianne pour mieux comprendre ses intentions, mais les mots ne sortent pas de ma bouche. Comme si elle avait **lu dans mes pensées**, l'ancienne agente explique :

— Vous savez, je suis au moins aussi forte que vous. Même si j'ai été chassée de l'agence TAC comme tous les autres adultes, je me tiens à jour. Je pourrais fabriquer n'importe quoi, moi aussi. Et freiner n'importe quel **PIRATE INFORMATIQUE**.

Pendant qu'elle parle, j'essaie de réfléchir à un plan. Pour gagner du temps, je demande :

— Et Oliver le cuisinier, c'est un ancien agent aussi?

Bibianne éclate de rire.

— **PAS DU TOUT!** Disons simplement qu'il était heureux de jouer mon complice. Couper des carottes, ça peut devenir lassant.

Hubert l'impatient, lui, commence à se lasser du discours de la crapule.

— Qu'est-ce que vous voulez au juste?

— Je veux retrouver de l'action dans ma vie. Je ne veux pas finir comme les résidents, qui dorment au-dessus de moi. **OUI, OUI!** Ils dorment! À cette heure! Il n'est **PAS QUESTION** que je continue à m'entourer de vieillards. Je veux me rendre utile et être près des jeunes!

— Et pour ça, vous seriez prête **À NOUS TUER ?** réplique Hubert.

« NOUS TUER »? Hubert exagère, non? Bibianne ne me rassure cependant pas en répondant froidement :

— AUX GRANDS MAUX, LES GRANDS REMÈDES...

Une idée germe alors dans mon esprit. Je sais que je risque gros, mais a-t-on le choix? Je ne crois pas.

— **Voyons, Hubert!** C'est clairement du bluff! **ELLE MENT!** Tout comme elle ment quand elle se vante d'avoir les mêmes connaissances technologiques que nous. Je suis certaine qu'elle serait incapable de réussir la première mission d'entraînement de l'agence.

Je sens Hubert **TRÈS NERVEUX** en ce moment. Je ne peux pas le blâmer, mes genoux tremblent aussi énormément.

— **Allons donc !** Je peux réussir toutes les missions d'entraînement que Web et Julienne peuvent inventer, je n'ai aucun doute là-dessus !

— Alors j'ai un marché à vous faire : si vous réussissez l'épreuve, je convaincrai les patrons de TAC de vous reprendre. Sinon, vous nous laissez partir et vous cessez pour toujours de vous en prendre à notre agence. Est-ce que c'est clair ?

Hubert s'approche de moi et chuchote :

— **ES-TU FOLLE ?**

— Je te promets que je sais ce que je fais.

J'ai l'air sûr de moi, mais en réalité, intérieurement, je suis **MORTE DE PEUR** que mon plan échoue. Mes talents de comédienne s'améliorent !

— **MARCHÉ CONCLU**, jeune fille.

Je me penche et je soulève Wi-Fido. J'avance vers elle, même si la crainte qu'une trappe s'ouvre sous mes pieds me hante. Je dépose le chien-robot devant Bibianne et je lui dis :

— La première mission est de l'entraîner à donner la patte.

Bibianne **ÉCLATE DE RIRE**. Elle commande à Wi-Fido de lui donner la patte. Elle essaie dans une autre langue, puis une troisième, **sans succès**. Je m'attends à ce qu'elle capitule d'une seconde à l'autre, ou à voir Wi-Fido se vider de toute son énergie, mais comme cela pourrait facilement prendre une heure, je me cale dans le fauteuil près de l'entrée. Hubert choisit de s'asseoir sur la première marche de l'escalier de béton. Il me jette un regard soucieux, surtout quand Bibianne se met à examiner le robot sous toutes ses coutures. **OH NON!** Elle finira peut-être par trouver le micro caché par Hubert!

Elle débranche un fil, en rebranche un autre. Je ne suis pas inquiète: j'ai passé suffisamment de temps avec cette bête androïde pour savoir que cela ne sert **À RIEN DU TOUT**. Elle ne reconnaît pas non plus le petit micro caché par Hubert. Il est pourtant évident, je le vois même d'ici. Web a raison, Bibianne n'est clairement pas une pro de la technologie d'aujourd'hui! Mais… elle n'est pas non plus aussi dépassée que les membres de l'agence le croient. Perdant patience, elle ouvre un ordinateur portable qui date certainement de plusieurs années, puis elle cherche une solution sur Internet. Elle n'obtient aucun résultat, mais elle se sert du **moteur de recherche** avec beaucoup plus de facilité que je l'aurais imaginé.

Tout à coup, je comprends pourquoi elle agit ainsi avec l'agence. Je connais bien les règles de Web et de Julienne, et je sais qu'à mes dix-huit ans, je devrai moi aussi partir, comme mes parents l'ont fait. Mais je serai **SI TRISTE** de le faire! Ce que Bibianne Baribeau ne semble toutefois pas comprendre, c'est qu'il y a d'autres façons d'aider les gens grâce à nos connaissances…

C'est alors que Bibianne, découragée, finit par lancer:

— Je n'en peux plus… vous avez gagné!

Et à la grande surprise d'Hubert, je propose:

— J'aurais une autre mission d'entraînement à vous proposer.

Si les yeux d'Hubert étaient des rayons
laser, je serais **MORTE** sur-le-champ. Je
devrai m'assurer que cette technologie ne
soit jamais développée dans le labo kiwi!
Quand je demande à notre **ENNEMIE**
de l'heure de modifier le mot de passe
de son ordinateur, de changer la grosseur
des icônes et de copier du texte dans un
document pour le coller dans un autre,
tout le monde, même Wi-Fido, croit que
je suis tombée sur la tête. Mais je ne suis
PAS FOLLE DU TOUT ; au contraire,
je viens d'avoir une **idée de génie !**

LA NOUVELLE VIE
DE MADAME BiBi

Une semaine plus tard, je marche dans le corridor des classes de cinquième et sixième années. **COMME C'EST ÉTRANGE !** J'ai l'impression de ne pas être venue ici depuis trois ans, alors que ça ne fait que quelques semaines. Élora, Félix et madame Jacinthe, notre enseignante, sont certains que je viens présenter mon projet de robotique : Wi-Fido le chien. En réalité, Web m'a donné la mission de superviser Bibianne Baribeau afin qu'elle ne fasse pas de **BÊTISES**.

Il n'était pas certain d'aimer mon idée au départ, mais Bibianne et moi avons réussi à le convaincre.

Tous les élèves de mon ancienne classe sont épatés par Wi-Fido. Je termine mon exposé en disant:

— Malheureusement, je n'ai pas encore trouvé le moyen de lui faire donner la patte!

Madame Jacinthe me remercie et me demande si je resterai pour le reste du cours. L'idée de m'asseoir entre Félix et Élora est tentante… mais j'ai une **mission à mener!**

Je quitte donc la classe, le cœur un peu gros. Je descends l'escalier et je passe devant les tiroirs du service de garde qui nous servent d'entrée sans m'arrêter. Je parcours le long corridor, puis je monte les marches devant la bibliothèque pour aboutir au secrétariat. En me voyant, la secrétaire me sourit et me salue:

— **Zélina !** Ça fait longtemps qu'on s'est vues ! Heureusement que monsieur Gendron a trouvé une remplaçante… Mais va lui dire bonjour, il sera certainement très heureux de te voir !

J'entre dans le bureau du directeur, qui a le nez presque collé à son écran, comme si le lâcher des yeux allait le faire exploser. À côté de lui, Bibianne Baribeau l'aide patiemment à **retrouver le document** qu'il croyait avoir perdu à jamais.

L'ancienne **ENNEMIE** de l'agence finit par remarquer ma présence.

— Oh! Bonjour, Zélina. Ça va bien?

— **À merveille !** Et vous, Bibianne?

— Je ne pourrais pas être plus heureuse. Ici, je me sens très, **très utile** comme technicienne en informatique!

Soudain, un élève de deuxième frappe à la porte pourtant ouverte. Il demande :

— Madame Bibi, on aurait besoin de votre aide dans la classe de madame Isabelle!

— Attends-moi une petite seconde, je vais vous voir dès que possible, **mon cœur !**

MADAME BiBi? MON CŒUR?

On ne pourrait jamais croire que cette femme a **EMBÊTÉ** l'agence TAC durant toutes ces années, ni qu'elle nous a gardés captif, Hubert et moi, dans son quartier général il y a moins d'une semaine! Si tous les **MÉCHANTS** que combat l'agence pouvaient finir par être aussi adorables que Bibianne Baribeau et Isidore MacVoyou, mon travail serait facile! Mais ce n'est pas le cas. C'est pourquoi je dois vite redescendre sous l'école pour regagner le quartier général de TAC! Ces jours-ci je peux quand même profiter d'un moment de répit, puisque tout va bien et que je n'ai rien à cacher à mes patrons.

Je retourne à notre **entrée secrète**, en prenant bien soin que personne ne me remarque alors que j'appuie sur le bouton de la fontaine, que je touche les trois triangles sur le mur, que je donne trois coups de pied sur la trappe sous l'escalier et que je saute dans le tiroir. Or, à la dernière seconde, alors que je m'apprête à refermer le tiroir sur moi pour glisser dans le toboggan, une voix retentit. C'est celle d'Élora, qui s'écrie :

— Zel, tu as oublié ton… **Zel ?** Veux-tu bien me dire ce que tu fais là ?

OH, OH ! Décidément, les choses ne pourront jamais être simples ! Mais ça fait partie du plaisir d'être une **vraie de vraie** membre de la **fabuleuse agence TAC !**

TABLE DES MATIÈRES

Slalom

ÉMOTIONS EXTRÊMES

 POLICIER ENQUÊTES SUSPENSE

TERREUR DANS LA CLASSE DE SIXIÈME

TERREUR À L'AUBERGE DU LAC

TERREUR À LA CLINIQUE DOODLE

TERREUR CHEZ LES MUSICIENS

LES 4Z OPÉRATION CASSE-CROÛTE

LES 4Z VAMPIRES ET TARTES AUX FRAISES

LES 4Z ZOMBIES ET CARAMEL AU BEURRE

LES 4Z DANGER! YÉTI AFFAMÉ!

LES 4Z MARTIENS ET ROULE DE GOMME SURETTE

LES 4Z FANTÔMES ET PETITS GÂTEAUX À LA CRÈME

LES 4Z GUIMAUVES GRILLÉES ET MONSTRE CHARLY

AGENCE TAG À LA RESCOUSSE DE WI-FIDO

EXPÉDITEUR INCONNU

DOCTEUR SINISTRE

UN MANIAQUE AU CHALET

UN VOYAGE D'ENFER

UNE SOIRÉE D'ÉPOUVANTE